# かぼちゃの馬車

星　新一著

新潮社版

3076

# 目次

# かぼちゃの馬車

# 秘密結社

ある日、家にやってきた友人と酒を飲みながら、エヌ氏は言った。

「退屈だなあ。いまの世の中。刺激がいっぱいありそうな感じだが、やって面白いこととなると、なんにもない」

「そうかねえ……」

「なにか面白いことを知ってそうだな」

「いや、べつに……」

「なにかありそうな口ぶりだ……」

エヌ氏は考え、思い出したように言う。

「……そうだ、どこかで聞いたぞ。きみがなにか秘密結社に入ってるといううわさを」

「しっ、大声を出さないでくれ。公然と話題にされたら、秘密結社といえなくなる」

「ははあ、やっぱりその会員なのだな。なにか面白い遊びをやる会なんだろう。わたしも入会させてくれ」

「そんなこと言われても困るよ」

「入れてくれないのなら、きみが怪しげで危険な秘密結社の会員だと、言いふらしてやる。会社をくびになってもしらないぞ」

エヌ氏はおどしたり、泣きついたりしてたのんだ。しまいには友人もごまかしきれなくなり、こう言った。

「しかたがない。きみが入会したがっていることを、会の本部に伝えておくよ。わたし個人ではきめられない。いろいろとうるさい資格審査があったりしてね。そのうち、きみの身辺が調査されるかもしれないよ」

「それはそうだろうな」

「それから、ここが重要な点なのだが、会員になったら簡単には抜けられない。会費は安いんだ。しかし、会の秘密をもらしたり、退会しようとしたりすると、みなにひどい目にあわされる」

「それも当然だろうな。わかったよ」

「では、本部に伝えておく」

友人は帰っていった。エヌ氏の胸はときめきはじめた。どんな会で、どんな会員が

いるのだろうか。うまく会員になれるだろうか。秘密ということがかくも魅力的とは、エヌ氏もこれまで気づかなかった。どんな遊びにくらべても、秘密の楽しさはその上にある。資格審査で、自分は合格するだろうか。エヌ氏はおこないをつつしんで日をすごした。

ひと月ほどし、友人が来てささやいた。

「きみは合格だそうだ。これから入会の儀式の場所へ案内する。それがすむと、正式の会員に登録される」

「それはありがたい」

エヌ氏は目かくしをされ、友人の車にのせられ、どこかのビルの地下室に案内された。目かくしをとると、あやしげな神像、ロウソクの光、強い香料など、神秘的なムードがみちている。壇上の男に指示され、エヌ氏は入会の誓いをさせられた。会の方針に従い、会の秘密を守り、脱会はしない、それらに反したらどんな処罰をも受けると。

入会がみとめられた。エヌ氏はその帰り道、興奮した口調で友人に言う。

「おごそかな儀式だったな。それに気をとられて、会の方針を聞き忘れた。いったい、どんなことをやる会なのだ」

「それはだな、一日一善、健康増進、その二つだ。それを必ず実行することさ」

「なんだと。それだけなのか。ばかげている。そんな会だったら、やめたいよ」

「それを口にすると、ひどい目にあうぞ」

「わからん。いったい、なにが面白くて、きみはそんな会員になってるんだ」

エヌ氏の質問に、友人は答える。

「わたしだって入るまで、こんな会とは知らなかったのだ。しかし、面白いこともないことはない。やめたいと言うやつを、よってたかって、みなでいじめる時さ……」

# なるほど

ある一軒の家。その日、家族たちは外出し、少年ひとりが留守番をしていた。試験の日が迫っており、勉強をしなければならなかったのだ。楽しいことではないが、仕方ない。教科書や参考書のページをめくりつづけていた。

ふと気がつくと、家のなかに人のけはいがする。やがて、なにかの割れる激しい音がした。行ってみると、みしらぬ男がひとり、いつのまにか勝手に入ってきて、そのへんの物をこわしている。

「あなたはだれです。やめて下さい。警察を呼びますよ」

そう言ったが、男は知らん顔をし、花びんだの、置時計だのをこわしている。高価な机を持ちあげ、投げだした。それはガラス戸をぶち破って、庭へ落ちてめちゃめちゃになった。

少年はこわくなり、家からかけ出し、となりの家から警察へ電話した。たちまち、サイレンをひびかせて、パトロールカーが到着した。それを迎えて、少年は言う。

「ここです。あれは気ちがいです。早くつかまえて下さい」

警官たちを家のなかに案内する。男はあたりに火をつけてまわっていた。火炎がひろがりはじめている。もう普通の消火器では手におえない。消防車が呼ばれ、延焼だけは防げたが、ついに少年の家は全焼した。

犯人はその場で逮捕された。現行犯だから、いやもおうもない。しかし、犯人は平然としていた。

「これがパトロールカーというものか。こいつらが警官か。なるほど。あれが消防車だな」

妙なことを言うやつだった。連行され、留置場へほうりこまれても変らなかった。

「これが警察というところか。なるほど。ここが留置場という設備か。面白いものだな」

ほかの連中は、きみわるがった。反省の色はまったくなかった。警察もてこずりながら、取調べる。犯人はやったことのすべてをみとめた。

やがて裁判となる。法廷内で犯人はあたりを見まわし、こうつぶやく。

「あれが検事というやつか。あそこにいるのが裁判官だな。そして、こっちのそばにいるのが、弁護士という職業の人というわけだな。なるほど」

裁判官は犯人に言う。

「この事件には、よくわからぬ点がある。犯行は事実にまちがいないようだが、ふしぎな点が多すぎる。被告は、なにか言いたいことがあるのなら、いま申しのべていいぞ。裁判の目的は、犯行の事情を明らかにすることにもあるのだ」

犯人は言った。

「事情は簡単ですよ。調査です。地球人の日用品には、こわれやすいものが多いんですな。住居は燃えやすいとくる。おくれてますな。また、警察とか、裁判所とか、じつに奇妙な機関ですな」

「わけがわからん。なんでそんな変な気分になったのだ。住所と姓名を言いなさい」

「ペキ惑星ですよ。名前はリラリ。いい名でしょう。地球人の名のおかしさはどうです。美的な響きがない。文明の高さがちがいますからな」

検事が口を出した。

「審理に関係のないことです。被告は法廷を混乱させようとしているのです」

それを制し、裁判官は犯人に言った。好奇心を押えられなかったのだろう。

「宇宙人だというのだな。だが、それにしては言葉がうまいではないか」

「こんな簡単な言葉、すぐにおぼえられますよ。頭の質がちがうんですな」

「この地球へ、どうやって来たのか」

「小型の円盤に乗ってですよ」

「それはどこにある。その場所を言えば、被告は宇宙人とはっきりし、無罪となる。現行の法律は、人間が対象なのだ。それ以外の生物となると、裁判にかけるわけにいかない」

「場所は言えませんよ。それを言ったら、あなたがた、さっそく分解し、使用不能にしてしまう。低い文明の持ち主は、そうするにきまっている」

「では、ほかに、被告が、自分を宇宙人だと証明できるものでもあるか」

「この発言が証拠です。ペキ惑星人は、うそをつかない。ここの地球人はつきますか」

「頭が狂っているとしか思えない。精神鑑定の結果を知りたい。その件はどうなっているのか」

　それに答えて、検事は書類を提出した。

「専門医の鑑定書がここにあります。診断によると、すべて正常です。精神錯乱のためという弁解は通用しません。だから有罪です。さきほどからの発言は、ばかばかしい、ふざけたものです。あわよくば無罪に持ちこもうとの芝居です。これをみとめたら、まねする者が続出し、世の秩序がたもてなくなる」

裁判官は弁護士に言った。

「いまの鑑定書についての、被告側の意見はなにかありますか」

「鑑定書には同意します。被告の精神は正常です。その当人が、自分は宇宙人だと主張している。だから本物の宇宙人です。その鑑定書の終りの部分をよくお読み下さい。うそ発見機を使っての報告がついています。つまり、うそをついていない……」

「なるほど。そう書かれているな」

「ですから、一刻も早く釈放し、宇宙からの来訪者にふさわしい待遇を与え、まともな歓迎や交渉をはじめるべきです。いいですか。これは全世界に関係した問題ですぞ……」

弁護士は熱弁をふるった。

犯人と話しあっているうちに、これは本物だ、ただごとでないと感じたからでもあった。また、依頼人の刑を軽くすることは、弁護士の使命だ。それに、ここでうまく働いておけば、将来、ペキ惑星と地球との交渉の時、いい役まわりにありつけるかもしれない。

判決は次回の法廷でときまった。

　このところ大事件がなかったせいか、マスコミは大きく報道し、書きたてた。宇宙人きたる。一刻も早く無罪の判決を下すべきだ。有罪にしたら、地球の恥である、と。かりに有罪となり、刑務所に入れられたら、マスコミも取材のしようがなくなってしまう。

　それにあおられた世論によってか、つぎに開かれた法廷で、犯人の釈放が決定した。

　裁判官は、いまや時の人。とくいげに言った。

「判決理由だが、宇宙人に地球の法の適用はできないからである。だから、そもそも、起訴なるものが成立しないのである。視野をひろげ、大局的な立場から判断するに……」

　検事側は、あきらかに不満そうな表情だった。ただちに控訴するつもりらしい。しかし、傍聴席は、さまざまな歓声でわき立った。マスコミ関係者が多かった。

　そのさわぎのなかから、ひとりの少年が飛び出した。焼かれた家の少年だった。被告にかけより、ポケットからナイフを出し、何度も何度も突きさした。まさかという油断もあり、あっというまのできごとで、とめるひまもなかった。

　警官がかけつけてきて、少年に言った。

「殺人の現行犯で逮捕する」

「そんな法律があるんですか。殺人だなんて、だれが人を殺しました。ぼくの殺したのは、人ではありませんよ」

# 虚像の姫

むかし、あるところに王さまがいた。王さまだから、領地を持ち、領民を持ち、お城を持ち、だれにも頭を下げないでよかった。まあ、恵まれた生活ということができた。

運のいいことに、ここを攻めようという国もなかった。したがって、平和がつづいていた。王さまはみちたりていた。いや、不足しているものが、ひとつだけあった。まだ王妃がなかったのだ。

「そろそろ、王妃をもらわんといかんな。しかし、軽々しく結婚し、あとで後悔するようではよくない。これは慎重にしなければならぬ。美しさと気品にみちた女性でなければならない。なぜなら、わしは王なのだから。さて、どうしたものか……」

王さまは考え、そして、魔法使いを呼んだ。昔から森のなかに住んでいる魔法使いを。

「おまえに、ひとつたのみがある」

「なんでございましょうか」

「わしにふさわしい、すばらしい女性を王妃にしたいのだ。うまくいったら、報酬はいくらでも支払うぞ」

「はい。やってみましょう」

魔法使いは引きさがっていった。

ある日、王さまは狩りに出た。えものを追いかけていると、遠くで女たちの悲鳴がした。そこへ行ってみると、旅の女が数人、盗賊団らしいのに追いかけられている。見捨てておくわけにはいかない。王さまはかけつけ、盗賊団を追いはらった。弱いやつらばかりだった。女性のひとりが王さまに言う。

「あぶないところをお助けいただき、ありがとうございます。王女とともに旅をしていると、不意におそわれたのです」

王女もしとやかにお礼を言った。

「ほんとに助かりましたわ」

感謝の視線をむけられ、王さまはぞくっとした。その王女は、王女だけあって気品があり、美しく、まさに非のうちどころがなかった。王さまは言う。

「あなたのようなかたをお助けできて、光栄です。わたしは、このさきのお城の王です。ぜひ、お寄りいただきたい。ぜひ、ぜひ……」

そして、城へ案内した。王さまは一目ぼれで熱をあげており、旅の王女は感激している。こうなると、あとは簡単だった。使者が往復し、縁談がまとまり、結婚の式となった。王さまは満足だった。

魔法使いがやってきて、王さまに言う。

「いかがでございます、わたしの腕前は。ひとつ、報酬のほうを……」

「なんだと。ああ、王妃のことか。あれは、わしの実力で手に入れたものだぞ」

「いえ、すべて、わたしのおぜんだてによるものですよ」

「とんでもない。わしの実力だ。だから、お礼はやれない」

だれだって、自分の魅力の成果と思いたがるものだ。この王さまだって例外ではない。

「それじゃ、約束がちがいますよ。もう、こんなとこにはいたくない。わたしはべつな土地へ行きます。記念にこの鏡をおいていきます。お子さまがうまれたら、さしあげて下さい」

魔法使いは鏡をひとつおいて、どこかへ行ってしまった。王さまはそれをのぞきこんでみたが、べつに変ったこともない。それは倉庫の係がしまいこんだ。

やがて、王さまに子がうまれた。女の子だった。その姫は大切に育てられた。

姫は病気にかかることなく、一歳となり、二歳となった。美しく成長したといいたいところだが、残念ながらそうではなかった。色は黒いほうで、目はねむそうで、いいところを見つけるのに苦心するといった顔つきだった。

しかし、姫はいつも鏡で遊んで、きげんがよかった。以前に魔法使いがおいていった鏡。だれかが思い出して倉庫から持ってきたのか、姫が自分でさがしだしたのかはわからない。とにかく、鏡をのぞきこんでいる時の姫は、楽しそうだった。

「ほんとに、お姫さまは鏡をのぞくのが好きでいらっしゃる」

おつきの者は、ふしぎがった。そう美しくないのに、なぜ鏡が好きなのか。理解しがたいことだった。しかし、きげんをとる手間がそれだけはぶけるわけなので、それ以上は考えようとしなかった。

姫は十歳となり、十五歳となった。姫という地位にふさわしく、気位が高くなった。しかし依然として美人とはいえない顔つきで、ふとっていた。これは、まことに困ったことだった。おつきの者たちは話しあう。

「お姫さまは、どういうわけでああなんでしょう。あまり美しくないのに、気位ばかり高くなってしまった」

「あれだけ毎日、あきることなく鏡をのぞきこんでいるのだから、ご自分がどうなのか、わかっておいでのはずなのに」

「こんな変なことってない。わけを知りたいものだ」

やがて、そのなぞがとけた。鏡には姫が、この上なく美しくうつっているのだ。ある日、おつきの者がなにげなく、姫のうしろから鏡をのぞきこみ、そのことを知って、あっと息をのんだ。

鏡のなかの姫は、色が白く、目は大きく、口もとも耳も髪の毛も、すべて形よく、申しぶんなかった。スタイルもいい。どう形容したものだろうか。やさしさにあふれる春の風であり、すみきった泉の水であり、あざやかな虹《にじ》であり、咲きほこる花であり、星々であり月の光であり、新雪であり、流れるような音楽であった。現実の姫は決してそんなではないのに。

おつきの者は、自分の顔をうつしてみた。それはべつに変化はなかった。この鏡は、姫だけに限って美しくうつすものらしい。

こうなると内密にしておくわけにもいかず、このことは王さまに報告された。王さまは歯ぎしりをして言う。

「うむ。そういうことだったのか。あの魔法使いのやつのしわざにちがいない。ひどいことをするやつだ」

「なにかあったので……」

「そうなのだ。しかし、こんなひどいしかえしをするとはな。姫が美人でないのは、仕方のないことだ。わしに似たのかもしれぬからな。美人でなくても、心がけがよければそれでいい。また、気位が高くても、美人であればそれでいい。しかし、美人でなく気位だけが高いとなると、これはよろしくない。あの、のろわれた鏡をとりあげてしまえ」

現実を直視させなければならぬ。言うのは簡単だが、その効果をあげるのは、きわめてむずかしいことだ。おつきの者は、問題の鏡をとりあげた。こわそうとも試みたが、どうやってもこわれなかった。そこで、倉庫の奥にかくすにとどめた。

姫にはかわりの鏡が渡されたが、一目のぞきこみ、こう叫んだ。

「これはうそだわ」

そして、二度と使わなかった。ずっと見なれてきた美しい自分が、そこにうつっていないのだ。こんな不当なことがあっていいのか。これが虚偽でなくてなんであろう。

姫は生きがいだった楽しみを失い、気力がおとろえ、病気となった。手当てをしてもよくならず、やせおとろえる一方。こうなると、魔法の鏡を出さざるをえない。

ふたたび渡された鏡をのぞきこみ、姫は元気をとりもどした。彼女にとっては、これこそ現実なのだ。姫の病気はたちまちなおった。気位ももとへもどった。本物の姫は少しも美しくないのだが。

王さまは家臣に命じた。

「あの魔法使いをさがし出せ。やつなら、なにか方法を知っているはずだ」

「はい」

その使命をおびた者が、出発していった。しかし、いい報告はもたらされなかった。どこへ行ったのか、さっぱりわからない。第一、いなくなってから、かなりの年月がたっているのだ。

ほかの魔法使いを連れてきて、知恵をかしてくれとたのんだが、いい案はなんにも出なかった。

一方、姫はとしをとりつづけている。すなわち、へたをすると婚期を逸しかねない。そうなると、王さまの後継者がたえることになる。あせらざるをえなかった。しかし、うまくゆくわけがない。

縁談があるていど進行しても、いざ現物を見ると、たいていの王子が逃げ腰になる。なかには、美人なんかより気だてのいい女性がいいと言う王子もないことはないが、会話をしてみると、たちまちがっかりする。姫はむやみと気位が高く、その王子はなにがなにやらわからない気分になり、あたふたと帰っていってしまうのだ。

よその王子がだめなら、家臣のなかから養子を迎えよう。しかし、これもまた難航した。いかに城主になれるとしても、あの姫をしょいこむのが条件ではと、みな辞退する。平凡でも気楽な人生を送ったほうがいいというものだ。

ついに王さまは、命令をもって強制的に結婚させようとしたが、その候補者の家臣は、どこへともなく逃亡してしまった。

そんなことにおかまいなく、姫はひまさえあれば鏡をのぞきこみ、喜んでいる。考えてみれば、あの魔法使いも残酷なことをしたものだ。

ある日、城下をひとりの若者が通りかかった。なかなかの好青年。かねてよりいいふくめられていた番兵は、声をかけて城にまねき入れ、王さまに報告した。

王さまが会ってみると、育ちのよさそうな青年だ。だめだろうと思いながらも、王さまは言ってみた。

「どうだろう。うちの姫と結婚し、あとをついでくれぬか」

「冗談でしょう。信じられないお話です」

若者はおどおどしている。

「いや、本当だとも。姫は物かげからあなたを見て、悪くないと言っている。あとは、あなたが承知してくれればいいのだが」

「いいも悪いもありませんよ」

と若者は言い、姫と会った。いままでの例とちがい、その若者は喜んで承知した。たちまち準備がととのえられ、婚礼の式があげられた。その時わかったことだが、その若者はある国のちゃんとした王子だった。

城の家臣たちは、ひと安心とはいうものの、王子の心境がわからなかった。あんなスマートな王子が、なにもここの姫と結婚することもないのにと。あれこれ仮定を話しあうが、どうもぴんとくる答えは出なかった。

周囲の者にわからないのも当然だった。この王子、幼い時から、のろわれた鏡を持たされていた。彼だけがみにくくうつる鏡を。それをのぞきつづけているうちに、本当に自分がみにくいものと思いこんでしまった。普通の鏡をのぞくこともあったが、それが現実とは信じられなくなった。

家臣たちが「かわいらしい」とほめてくれても、それはおせじとしか思えない。このみにくい自分をほめてくれるなど、おべっか以外のなにものでもない。そのあげく、だれも信用できなくなり、ひとり、旅へと出たのだった。王子の父が魔法使いになにをしたのかは不明だが、これまた残酷なこととしいわざるをえない。

王子がここで、夢のような話に飛びついたのもむりはない。おべっかでなく、みにくい自分に長所をみとめてくれたのだ。姫が少しぐらいおかしくたって、いいとすべきだ。

かくして二人は結ばれ、それぞれ自分の鏡をのぞきこみながら、いつまでも平和にくらした。まったく世の中においては、いろいろなことが起るものだ。

# ご要望

町のなか、裏通りの横町をまがったといった感じのところに、一軒の小さな家があった。だれも見すごしてしまいそうな、目立たぬ家。

ある日、郵便配達員がその家を訪れた。

「ごめん下さい」

「はい。あなた、ちょっとお願い。あたし、お魚を焼いてて手がはなせないの」

若い女の声。あなたと呼びかけられた、二十五歳ぐらいの、ふだん着姿の男が出てきて言った。

「郵便とは縁のない生活をしてるんだがなあ。なにかご用ですか」

「もしかしたら、一寸法師さんのおたくはここじゃないかと……」

「そうですよ。で、どんなご用ですか」

「よかった。ずいぶんほうぼうさがしたんですよ。郵便なんです。これです」

配達員は一通の手紙を出した。切手ははってあるが、封筒には一寸法師様とあるだけ。

「ここにいると、よくわかりましたねえ。お手数かけました。大変だったでしょう」

「まあね。しかし、配達は郵政関係者の使命です。サンタクロース様への手紙、シャーロック・ホームズ様への手紙だって、それなりにちゃんととどけているんですよ」

「そうでしたか」

「それにね、最近また郵便代の値上げをしたでしょう。大臣もかわり、新大臣はサービスの向上を指示した。組合も、賃上げ要求をかちとった。あれやこれやで、これぐらいのことはしないわけにいきません。いずれにせよ、ここととわかってよかった。しかし、念のためにお聞きしときますが、この家に本当に一寸法師さんがおいでなんでしょうね」

職務のためか、配達員はたしかめるように聞いた。若い男はうなずく。

「うそをついても、しようがないでしょう。ぼくがそうです」

「あなたがねえ」

配達員は男の顔、青いシャツ、白っぽいズボンと、視線を動かした。

「身長は一七五センチです。その点にご不審をお持ちのようですね。どうやら、あなたは物語を終りまでお読みになっていないみたいだ……」

「知っているのは、おわんの舟に、はしのかい。それに乗って、はるばる都へのぼったところぐらいです」

「それからですよ。困っているお姫さまを助けるため、鬼を相手に、針の刀をふるって大活躍。ついに降参させ、打出の小づちを取りあげた。それを使って、身長を伸ばすというのぞみを実現した。そして、お姫さまと結婚。めでたし、めでたしというわけです」

「すると、さっきの声のかたが、お姫さまということで……」

「そうですよ」

一寸法師がうなずくと、配達員は小声で言った。

「打出の小づちを手に入れたのだったら、どんな女でも望みのまま。結婚を早まったのじゃありませんか」

「そんなことはありませんよ。いい女です。それに、小づちが手に入ったのは、鬼をやっつけたため。それは姫との出会いのため。結婚への理屈が通ってるじゃありませんか。また、大衆の要望でもあったのです。あなた、そんなことをおっしゃるのは、もしかしたら悪妻に手を焼いているからでは……」

「じつは、そうなんです。打出の小づちを、ちょっと使わしてくれませんか」

「あれは、ぼくたち二人の永遠の若さを願ったあと、火山の火口のなかへ捨ててしまいました。あんなのがあると、人間がだめになります。いい気になって使っていると、顔も姿も鬼になってしまうようです」

「もったいないなあ。しかし、捨ててしまったのでは仕方ない。はい、手紙をお渡ししますよ……」

　配達員は思いついた質問をつけくわえた。

「……あなたがた、毎日なにをなさって暮しているのですか」

「それから二人は、いつまでもしあわせに暮しました。しあわせに暮す。それがぼくたちの仕事なのです。それが日課なのです。ほかに仕事はないから、郵便とは縁のない生活というわけです」

「のんきなものですな。いや、これまで長い年月、そのくりかえしをつづけてきたとしたら、大変な忍耐というべきか。わたしのような平凡人には、とてもむりだ。では……」

「ごくろうさま」

　配達員は帰っていった。一寸法師は、一七五センチになっても名は変らないのだ。彼は手紙の封を切って、目を走らせた。夕食の用意をしながら妻が言った。

「あなた、なんだったの。警察からの呼出し、それとも、懸賞の当選通知……」

「俗世間と交際せず、ひっそりと暮しているぼくたちのところへ、そんなものの来るわけがない。早くいえば、ファンレターだ」

「どんなことが書いてあるの」

「ええと、こうだ。一寸法師さま、ぼくはあなたのファンです。子供の時に本で読み、それ以来、好きになりました。小さなからだのなかに、知恵と力をそなえていて、こけおどかしで図体《ずうたい》だけでかい鬼をやっつけるところでは、胸がすっとしました。あ、申しおくれましたが、ぼくは高校生です……」

「あなたのことを、忘れないでいる人があるのね。それから、どんなことが書いてあるの。もっと読んでよ」

「しかし、そのご、なんにも活躍していないようですね。マイホームという、ぬるま湯的な日常に埋没してしまってはいけません。また活躍して下さい。世の中には、あなたを再評価する気運が高まっています。ファンは多いのです。みな期待をもって見まもっています。からだが大きくなったとしても、かつての根性は残っているはずです……」

「あなたが説教されてるみたいね。年長者への手紙なら、もう少していねいないいまわしをすべきだと思うわ」

「お姫さま育ちのきみはそう思うかもしれないが、いま学校でそういう教育をしてないのだから、しようがないさ。それに、この手紙を書いた少年、小さな一寸法師という先入観があって、つい気やすく書いてしまったのだろう。好意のあらわれさ。まあ、そんなことより、忘れないでくれている人がいたというのは、うれしい。酒でも飲もう」

「あなた、なにかというと、すぐ酒を飲むことに結びつけちゃうんだから……」

妻は酒を食卓に運んできた。一寸法師はそれを飲みはじめる。

「まあ、いいじゃないか。しかし、活躍すべきだと言われても、なにをやったものかなあ。長いこと休んでしまったし、世の中は変ったし、鬼はいなくなったし……」

その夜、彼は夜おそくまで酒を飲みつづけ、あれこれ考えた。もっとも、これといった名案は出なかったが。

三日ほどし、また手紙がとどいた。配達員は、こんどは事務的に投げこんでいった。差出人は、先日とちがって、五十歳すぎの男からだった。

〈ふたたびご活躍の決心をなされたとのこと、喜びにたえません。待ってましたと、声をかけたい思いでございます。なにをしたものかと、お迷いのご様子。小生の意見を申しあげれば、義賊などよろしかろうと存じます。まともな義賊が存在しなくなってから、ずいぶんになります。鬼退治の精神をいまに生かすには、適当ではなかろうかと思うしだいでございます……〉

「なるほど、そうだな。義賊がいいかもしれない」

そうつぶやく一寸法師に、妻が言った。

「あなた、いまのままでしあわせじゃないの。危ないこと、しないでよ」

「いや、そうはいかないのだよ」

「鬼退治の精神とかいう文句で、むかしの栄光の思い出をくすぐられちゃったのね。男って単純ね」

「そうじゃないんだ。一般の人とちがって、物語の主人公となると、じっとしていてはいけないのだ。大衆のご要望があれば、活躍しなければならない。これが宿命。とめたりするな」

一寸法師は、いろいろと調査をし、準備をし、義賊という行為にとりかかった。脱税でしこたまもうけている土地成金の家に目をつけ、つぎつぎと侵入した。うまれつきの能力か、身動きのすばやさは変っていず、かなりの金を巻きあげるのに成功した。

その成金たち、銀行に預金すると利益が表面化してしまうため、札束のまましまいこんでいる。それをいただいたのだ。

何人もの成金たちが被害にかかった。しかし、彼らは黙ったまま。被害届けを出すと、ニュースになり、そんな大金どうしたのだと、脱税がばれることになりかねない。その金を、一寸法師は各地の福祉団体に、名を告げずに寄付する。

また、ファンレターがとどいた。

〈胸がすっといたしました。差出人の名を書かない手紙をお許し下さい。じつは私、税務署長なのであります。やつらの巧妙な脱税に手を焼いていながら、それを法律のわく内で取締れぬわれわれ。いきどおりと、もどかしさを感じていました。このままでは、善良な納税者に申しわけないと。それを、あなたはやって下さった。どんどんやって下さい。悪質な連中のリストを同封しました〉

こんなのもあった。

〈おじさん、すてき。ぼくは小学生です。おとなにも、りっぱな人がいたのですね。悪いやつを、もっとこらしめて下さい。それから、そっとお金を寄付しての帰り道で、口笛を吹くといいと思います。おぼえやすいメロディーのをやって下さい〉

しかし、同じようなことの単純なくりかえしでは、あきられてしまう。変化は大衆の要望でもある。一寸法師は、きちんとした背広姿で、脱税成金の家を訪問してまわる。

「わたくし、セールスマンでございます。普通のありふれた品ではございません。一寸法師の捕獲器。最近その被害にかかっている財産家が多いようです。こちらさまは、いかがですか。まだでございましたか。それでしたら、なおさら。被害にあっていたら、いうまでもない。この新式のネズミとり器が有効でございます……」

とカバンから取り出す。

「……この配置方法の指導もいたします。金庫はどこでございますか。なるほど。で、非常ベルは。なるほど。カギはどうなっておりましょうか……」

ネズミとり器を売りつけ、指導料をとり、あとで乗りこむ。勝手がわかっているから、仕事は簡単だ。

〈一寸法師さま。みごとなものです。拍手します。もっと悪人をだまして下さい。しかし、ちょっとものたりません。若い美人の助手と組むべきです。あなたは、妻があるので、とかおっしゃるでしょう。しかし、そんなこと気にしてはいけません。これは大衆の要望でもあり、いまはそういう時代なのです。プレイボーイ風であったほうがいい。古めかしすぎてはいけません〉

たしかに、夫婦で組んだ義賊となると、なんとなくおかしい。詐欺師《さぎし》みたいな印象を与える。また、お姫さま育ちの妻には、軽妙な行動などできない。彼は美人の助手と組んで仕事をした。大衆の要望なのだ。女性からの手紙がくるようになった。

〈あたし、二十歳の女性です。一回でいいから、あなたのお手伝いがしたい。きっとお役に立ちますわ。あたし、婦人警官ですの。柔道も知ってます。そんなことより、あたしの写真を同封しました。スタイルも悪くないでしょう。ご連絡いただければ、きめられた時間に、きめられた場所へ出かけます。その日、おつとめは休んじゃう〉

美人の助手にことかかなくなった。一寸法師の活躍はしだいに調子がでてきた。ファンレターもふえてくる。なぜ彼の活躍ぶりがわかるのかといえば、物語の主人公だからだ。知りたい者には、時間や空間を超越して伝わる。

〈このごろ、ますます順調ですね。現代的になって、あなたのファンはふえる一方です。そこで、提案があります。一寸法師という名は、古めかしい。それに、一寸でも、法師でもない。もっとスマートな名にしたほうがいいと思います。ミスター一七五なんて、どうでしょう。若い世代の人気が高まります〉

つづいて、こんなのもくる。

〈ミスター一七五なんて、なんです。いけません。囚人か、総背番号制の悪夢みたいだ。一寸法師は、一寸法師でいいのです。伝統のある名前ではありませんか。外見はいかに流行の先端をいっていても、心は古風なよさを持っている。そこがいいのです。よくお考え下さい〉

ご要望とあっては、もとへ戻さなければならない。物語の主人公なのだ。

〈もう少し、お色気のあったほうがいい。せっかく美人を、毎回くりだしているのです。ベッドシーンをやって下さい。人間性をそのまま出して下さい。いままでのようだと、聖人君子か偽善者みたいです。テレビではないのですから、規制や検閲があるわけじゃない。見まもっている私たちとのあいだに、じゃまはないのです〉

そこで、ホテルの一室において、一寸法師はベッドの上から美しい助手に声をかけた。

「さあ、こっちへおいでよ」

シャワーをあびてでてきた彼女のはだは、うっすらとピンク色にそまっていた。湯あがりのせいだけではなかった。はじらいと不安、それに男への愛。内部の感情がそのような色となってにじみ出ていたのだ。かすかにふるえている。それがたまらなく魅力的だった。彼は女の手を引っぱった。なにも身につけていないからだが、ベッドの上に倒れてきた。大きなはなびらが散るかのように。情欲が炎となり、彼のくちびるは、手は、さらに……。

ベッドのそばの電話が鳴った。受話器をとると、大声が飛び出してきた。

「やめろ。やっていいことと、悪いことがある。むちゃくちゃだ。そんな女は、早くたたき出せ。そうしなかったら、わたしばかりでなく、これまでのファンから見放されるぞ。いつから色きちがいになった」

「しかし、ご要望もあり、伝統的な日本女性をえらんだつもりですよ。それに、この程度なら、最近の風潮では……」

「だれが要望したのかしらないが、そんなおだてに乗っちゃだめだ。世の中には、きわどい映画や小説があるでしょうよ。しかし、その主人公は、だれでもいい人物です。れっきとした名のある人がやってはいけないのだ。桃太郎、ピーターパン、チルチルとミチル、だれもそんなことをしていないぞ。よく考えてみろ」

「そういえば、そうですね。あさはかでした。しかし、わかって下さい。やりたくてこうなったのでなく、ご要望でこうなったのだということを。ほかに、なにかご注意は……」

「いい意見が、ないこともないんだ。二度とベッドシーンをやらぬというのなら、教えてあげる。ぐっと社会派的になりなさい。公害はどうです。被害者への金を出ししぶっている企業がある。ね、どうです。その企業から金を巻き上げ、被害者にまわしてあげるのです」

「なるほど。しかし、そうなると、美人の助手はしっくりしませんね」

「女なんて、ほかの連中にまかせておけ。あなたは、女に目もくれなくなる。目もくれなくなる。目もくれなく……」

「はい。もう女に気をとられたりはしません」


一寸法師のイメージチェンジは成功した。公害企業退治は、彼のファンをふやした。航空機会社から金を盗んで、騒音に悩む住民にくばり、ガソリン会社から金を盗んで、排気ガスにおかされた病人にくばった。

〈あなたは正義の味方、社会の味方。私はヒーロー評論家ですが、賛辞を惜しみません。がんばって下さい〉

しかし、しばらくたつと、例によって別のご要望が出てくる。

〈わたくし、主婦でございます。弱い民衆のための行動、すばらしいと思うのですが、どこかまちがっているのではないかという気がしてなりません。と申しますのは、あなたのファンである、小学生のうちのむすこのことでございます。あなたのまねをし

ようとしました。近所の自動車会社に乗りこみました。金を奪って、交通事故で入院している人にあげるのだといって……〉

さいわい、寸前に制止できたからよかったが、教育上よくない。一寸法師さんはちがうのだと言っても、子供にはわからない。

〈……あなたは子供の手本になるべき人です。義賊といっても、しょせんは泥棒。ソクラテスは法をおかすより死を選んだ。むかしからのあなたのファンは、あなたを私欲のないかただと信じていますが、新しいファンには、いいかげんなのがいるかもしれません。盗んでから金をくばるまでのあいだに、手数料を取ってるんじゃないかと、変なうわさを立てる人が出ないとも限りません。そうなってからでは手おくれです。活躍の分野を変えるよう希望します〉

いちいちもっともだった。たしかに、まねするやつが出ると困る。正義のためと信じてやっても、逮捕されれば犯罪者だ。また、純粋義賊ならいいが、やがては営業義賊もあらわれかねない。

「やりかたをあらためよう。しばらく外国へ行って仕事をしてくる」

と言う一寸法師に、妻が聞いた。

「いつお帰りになるの」

「見当がつかない。しかし、少年少女の手本になるようなことをやらねばならない。とめないでくれ」

「とめようったって、あなたは物語の主人公なんだから、しようがないわね。あたし、待ってるわ。あたしたち寿命にしばられてないんだから、その点いいわね」

一寸法師は南米にむかい、アマゾンの奥地に入りこんだ。熱帯の森林地帯。そこには病気で苦しむ原住民がいる。病院をたて、その治療に当ろうというのだ。

薬品や医療器具は、彼のファンが金を出しあって買い、送ってくれた。仕事は順調だった。最初は警戒していた原住民たちも、しだいに彼を尊敬するようになってきた。お礼として、人間の首を小さくした飾りを持ってくる。

「お礼はいいよ。しかし、この小さな首は珍しいな。わたしは、この逆だ。むかしは小さかったが、これだけのからだになれたのだ」

もとは親指ぐらいだったと言うと、原住民たちは驚く。

「そうとしたら、先生は神さまだ」

「そんなことはないよ。しかし、努力はしなくてはならない。少しでも神に近づくように……」

留守宅の妻のところに、どこからか手紙が来た。一寸法師の奥さまへとある。封を切ってみると〈わたくし、あなたのファンでございます〉と書いてある。

「あたしのファンなど、いるわけがないわ。夫へのまちがいにちがいないわ……」

しかし、その差出人から、また手紙が来た。

〈本当にあなたのファンなのです。むかしから、お姫さまにあこがれていました。それなのに、日本にはそのたぐいの物語がない。ぜひ、なにかなさるべきです……〉

「あたしにできっこないわ」

それに応じて、また手紙が来るのだった。この家には電話がない。あって番号を知られたら、静かな生活は失われる。

〈おできになります。自信をお持ち下さい。あなたも物語の主人公のはずです。普通の人とちがって、ことはすべてうまく運びます。恋の物語がいいわ。夫が外国へ行ってしまった。そのあいだの、はかない、道ならぬ恋。考えただけでも、ぞくぞくしてきましたわ。その夢のようなロマンスを、ぜひ、あたしたちにかわってやって下さい〉

ご要望とあっては、さからえないのだ。一寸法師の妻は、家から出た。若く、古風で、美しい。かつて一寸法師が、一目でほれこみ、鬼を相手に命がけで戦ったのだ。

その時の姫と少しも変っていない。

アマゾン奥地で診療所をやっている一寸法師のところへも、手紙はくる。

〈あなたのおやりになっていることを、尊敬の念をもって見まもっているファンのひとりです。しかし、どうもまだるっこしい。ドラマチックでないのです。いまのお仕事は立派ですが、それはシュバイツァー博士のような、実在の人物がやるべきこと。あなたには、もっとふさわしい活躍があるはずだ。心機一転、あっということをすべきだ。ふたたび鬼と戦うのです。鬼とは体制だ。原住民を指揮して立ちあがれ。武器は送った〉

やがて、銃や弾薬がとどく。一寸法師は原住民を集め、武装訓練にとりかかった。いままで弓や吹矢ぐらいしか使ったことのない連中。彼らを訓練するのは容易でなかった。しかし、これはやらねばならぬことなのだ。要望なのだ。

妻のところへも、手紙がかなり来るようになった。

〈あなたの道ならぬ恋。胸をわくわくさせて見まもっております。ご主人の安否が不明、その不安のなかにあって、ふと知りあった男への慕情をたちきれない。すばらし

いわ。恋人がひとりでもこうすばらしいのだから、二人になったら、もっといいのではないかと思います〉

しばらくすると、こんなのも来る。

〈いいわねえ。三人の男たちに恋されるなんて。なかでも、病身の青年が好きです。詩人なんですってね。あの人をかわいがってあげて下さい。どこか知らない土地、山奥の湖のほとりなんかへかけおちなさるといいと思います……〉

それは好評だった。

〈道に迷い、山小屋で一夜をすごすところ、とてもサスペンスがありました。クマがいつ入ってくるかと、はらはらしました。しかし、もっと悲しい展開があってもいいと思います。あの青年の病気が重くなり、愛のささやきのなかで死んで行くといった……〉

いろいろなご意見、ご希望がくる。

〈あの青年を殺さないで。そんなことになったら、あなたのファンをやめちゃうから……〉

アマゾンの一寸法師ゲリラ軍団には、こんな手紙が来た。

〈あなたのやりかたには、ついて行けなくなった。武装闘争はいけません。世界情勢はそんな方向にむかっていない。そもそも、あなたは不死なのだ。だから、現実の戦いとなると、部下ばかり死に、一将功成りて万骨枯るということになる……〉

読みながらうなずき、原住民たちを見る。たしかに、彼らだけが死ぬドラマになる。

〈……そうなると人気が落ちる。あなたはゲバラとちがって死ねない人なのだ。南米に行ったのがよくなかった。その前はシュバイツァーのまね。人まねの傾向がでてきた。自己を確立すべきです。やはり、あなたはひとりで活躍したほうがいい。南太平洋の島にお行きになるといい……〉

一寸法師は旅じたくをする。

〈……そこでは、天才的な頭脳と、恐るべき野心を持った学者が、秘密の研究をやっている。集中豪雨の原理を解明し、それを人工的に、いかなる場所においても発生させうる方法を完成した。平和目的に利用されれば、すばらしいことなのであるが、彼はそれで各国をおどし、大金を取ろうとしている。そこであなたへの要望だが、この陰謀を未然に防ぎ……〉

〈一寸法師の奥さま。安っぽいメロドラマみたいなことは、おやめあそばせ。わたくし、教育関係の婦人団体の役員をしている者でございますが、心から忠告いたします。若い人たちに希望を与えるようなことをなさって下さい。スポーツがよろしゅうございます。明るく健康的で、努力の価値を感じさせるような行動をなさって下さい。バスケットボールなどがよろしいのではないかと……〉

物語の主人公となると、ご要望には応じなければならない。すると、こんな手紙。

〈まあ、なんということでございましょう。わたくしは源氏物語の愛読者でもありますから、恋が悪いとは申しません。だけど、あのボール遊びはいけません。あられもないという言葉をご存知でしょう。お姫さま育ちのかたのなさることではありません。みやびやかな、おおらかな、古きよきものを表現する行為をお示し下さい。現代はそれを求めているのです〉

と要望されても、どうしたらいいのかわからず、彼女は考えこむ。

〈お迷いのご様子。いまの世に、みやびやかな物語など、成り立つわけがありません。社会にその基盤がないのです。そこからはじめなくてはなりません。上品で優美な、動作と感受性を教える学校をおやりなさい。あなたはそれができるかたです〉

彼女、ため息をつく。

「いそがしいったら、ないわね。なにかをはじめると、ご要望ってのがきて、べつなことをやらなくちゃならなくなる……」


一寸法師は、秘密研究所の一味と対決すべく、小さな漁船に乗せてもらい、島へ接近しつつあった。その乗員が話しかけてきた。

「もしかしたら、あなたは一寸法師さんでは……」

「そうです。よくわかりましたね」

「わたしもファンですからね。しかし、なんでこんなところに……」

「あの島での陰謀をやっつけなくてはならないのです」

「そんなに、それがやりたいのですか」

「いや、ご要望なんでね」

「そうでしょう。なんとなく安っぽい感じだ。どうなるか見当がつきますよ。島への潜入。活劇。一回はつかまる。痛めつけられ、絶体絶命。しかし、一味のなかの美人が脱走させてくれる。ふたたび活劇。あわやという時に、なんとか首領をやっつける。研究所を爆発させる。その寸前に、美人とボートで島を出る」

「そんなとこでしょうね」

「そこまでわかっていたら、なにもやることはない。このところ、あなたはつまらないことばかりやっている。本来のイメージがそこなわれるばかりだ。なんにもやらないほうがいいのです。ご要望という、のろいにかけられて、右往左往。自分の意志を持つべきです」

「そうはいっても、わたしは、ご要望があるとそれに従ってしまう」

「わたしは、心からあなたのことを心配しているのですよ。最も正しいご要望を申しあげます。あなた、奥さんがなにしているのかご存知ないのでしょう。メロドラマ風になったり、スポーツ選手になったり、いまはエレガント学校みたいなことをなさっている。選挙めあての政治家がからんできかねない。そうなったらことです。早く帰って、奥さんにいまの仕事をやめさせ、人目につかないところで、二人だけの生活をとり戻すのです。そもそも、あなたは世の中に出てくるべきではなかったのです。わかりましたか」

「そうしましょう。ご意見に従います」

「この船で日本までお連れしましょう」

一寸法師はそうした。帰国するやいなや、妻をせきたて、その夜のうちに、どこへともなく引っ越した。

それからどうなったかですって。いつまでもしあわせに暮す日常のくりかえしをつづけている。ご安心を。

もはや手紙の来ることもない。郵便料金値上げへの不満を、大衆は忘れてしまっている。大臣は就任のころの意気ごみをなくしてしまっている。組合は給料が安いとこぼしはじめている。前のように、苦心して配達してくれるわけがないのだ。

# 厳粛な儀式

ある男が死んだ。七十歳ちょっとの年齢。

「まだ若いのに」などという声は出なかった。その死は突然におとずれた。

「なんだか気分が悪い」

こう言って横になったかと思うと、まもなく息を引きとった。最後の手当てをした医者も驚くほど、安らかな死に顔だった。眠っているようだ、との形容があてはまる。執着とか苦しみとか、そういった表情はまったくなかった。

しかし、いかに死に顔がいいといっても、死であることに変りはない。遺族たちにとって、悲しみ以外のなにものでもない。

「本当に死んでしまったのね。信じられないわ」

「もう少し長く生きていてもらいたかった。せめて、あと二年、いや、一年でもいいから」

涙とともに、こういった会話がかわされた。世話ずきの親類や知人が、いろいろと葬式の準備をととのえる。お通夜《つや》となる。

故人の友人たちが、しらせを受けて集ってくる。

「このたびは、とんだことで。さぞ、お力落しのことでしょう。しかし、元気をお出しになって下さい。あまり悲しんでは、故人の遺志に反しましょう」

ありふれたおくやみの言葉が、遺族にむけられる。しかし、それが礼儀なのだ。やってくる人たちは、香典の包みをそなえ、線香をあげる。そして、思い出話をするのだった。

「いい人でしたな。明朗で、社交性があり、会っていて楽しかった」

「それでいて、なかなか口の固いところもありましたよ。これは内密だがと前おきした話は、だれにももらさなかった。だから、信用できる相談相手でした」

「頭のいい人でしたな。独創的なところがあり、すぐれたアイデアの持ち主だった。それも、足が地についた実現可能なもので……」

「そういえば、小さな研究室を作って、なにか実験をしていたようでしたな。薬品をまぜあわせたりして、なにをやってたのでしょう。研究ノートもみつからず、いまとなっては知りようがありませんが……」

「とにかく、いい人でした」

みな、それぞれに追憶しあった。

やがて、坊さんがやってきて、お経をあげた。棺《ひつぎ》の前には花が飾られ、死の儀式が進行してゆく。知人たちは帰ってゆき、仏前には二人ほどの親友と、遺族だけになった。

棺のなかで、かすかな音がした。だれもが顔をみあわせる。不安と、万一への期待のいりまじった気分。つづいて、うめき声。

「ううん……」

たしかに棺のなかからだった。またも、みな顔をみあわせる。信じられない。気のせいではないか。まさか、そんなことが……。

しかし、友人のひとりは、立ちあがって棺のふたをあけてのぞいた。

「あ、生きている……」

自分を説得しようとするかのような大声だった。棺のなかの男は、目をぱちぱちさせ、指を動かしていた。そして、かすれた声で言った。

「ここから出してくれ……」

「お、生きかえったのか。よかった。出してやるとも。だれか手を貸してくれ」

しめやかな空気が一変し、にぎやかになった。男はベッドに運ばれた。線香は消され、飾りの花は庭へほうり出された。医者が呼ばれる。診察のあと、医者は言った。

「ふしぎです。さっきは、たしかに脈がとまり、呼吸もなくなっていた」

友人のひとりが聞く。

「どういうことなのでしょう」

「奇跡というべきでしょう。生命力が非常に強かった。こう申しあげる以外にありません。もう大丈夫です。けっこうなことでした。お大事に……」

医者は、誤診でなかったことをそれとなく主張し、帰っていった。ベッドの上の男は、にこにこしている。周囲に人がいなくなると、小声でつぶやく。

「わたしがひそかに研究し、完成した回生薬。そのききめのすばらしさが実証できた。毎日すこしずつ服用していると、死んでも、しばらくして生きかえる。いったん停止したエンジンが、ふたたび動きだすごとく……」

楽しげな笑い。

「……しかし、この薬の秘密を公表することはない。人口がふえすぎて、ろくなことにならない。生きかえるのは、わたしだけでいいのだ」

このことは、彼しか知らない。ほかの者にとっては、信じがたいほどのおめでたいことだった。友人たちが相談し、お祝いの会を開いた。みな、祝賀のため、礼儀として金包みを持って集る。

「おめでとうございます」

「運のいいかただ。あやかりたいものだ」

口々にあいさつ。当人は言った。

「自分でも夢のようです。またみなさんとおつきあいでき、うれしくてなりません」

回生薬の秘密はしゃべらなかった。奇跡的ということに、説明は不要なのだ。

一年ほどたち、男はふたたび死んだ。遺族や友人たちが集り、涙にくれた。

「もっと生きていてもらいたかった」

「しかし、この一年を生きた。ですから、故人はもうけたわけです。思い残すこともないのじゃないでしょうか」

お通夜がなされ、香典を持った人たちが、線香をあげにやってきた。

その夜、棺のなかで物音とうめき声がした。その時、仏前には、友人がひとりいただけだった。なかをのぞく。

「またか……」

友人は言った。なかの男が目をぱちぱちさせているのをみとめた。友人は考える。

どういうことなんだ。あまり、いいことじゃないぜ。だれも一年前に香典を出している。祝賀の時にも金を出している。そして、また今回もだ。それぞれ、いそがしい時間をさいて、やってきてくれた。

またここで生きかえりましたじゃ、どう言われるかわからない。評判が悪くなる。詐欺《さぎ》だなんて言われかねない。お通夜という厳粛な儀式も、三回目なんてことになったら、ばかばかしいものになってしまう。

世の常識を狂わせてはいけない。そもそも、こいつはすでに死んでいるのだ。死者は死んでいるべきだ。

「ここから出してくれ」

棺のなかの男は言った。しかし、友人は首をふる。

「きみは出ないほうがいい。それがきみのため、みなのためなんだ」

そして、首をしめた。それからお線香をあげ、静かに手を合わせた。

# 外見

交通事故が発生した。自動車がぶつかり、ひっくりかえり、形容しがたい惨状となった。運転手は助からなかった。後部座席にいたひとりの乗客は虫の息。ただちに病院へ運ばれた。

その乗客は、ある大会社の社長であり、かなりの財産家だった。だから、社員が病院にかけつけ、医者にたのんだ。

「治療費でしたら、いくらでも出します。なんとか社長の命を助けて下さい」

「しかし、きわめて重態です。あまり期待されても困ります。普通では手のつけようがありません」

「普通でない方法があるのですか」

「なにしろ、内臓がほとんどやられている。それらを人工内臓におきかえる。右手と両足もだめです。これらも義手義足につけかえる。根本的に作り変えるわけです」

「話に聞く、サイボーグというのにするわけですね」

「そういうことです。サイバネティック・オーガニズム。つまり、大部分を人工器官にとりかえ、改造人間にしてしまうのです」

「でも、脳はもとのままですから、当人であるという本質に変りはないわけでしょう」

「そうですよ。だが、これには大変な費用がかかる。そのため、これまでにほとんどおこなわれなかった。学問的には可能でも、経済的に不可能というわけで……」

「その費用の点でしたら、ご心配なく。先生の思い通りにおやり下さい。ここで社長に死なれては、経営がゆきづまるのです」

「しかし……」

「まだなにか問題があるのですか」

社員が質問し、医者が答えた。

「あります。結果として、だいぶ人間ばなれしたものになるのです。人間というものは、やけどや傷のあと、そんな程度の外見さえ気になるのです。ましてサイボーグは、そんなのとはくらべものにならないほど、それがはなはだしいのです。ですから、劣等感に悩みながら、暗い人生をすごすことになるかもしれません。ここが気になる」

「そうかもしれませんね。しかし、いまは企業の存続のほうが重大なんです。いま社長に死なれては困る。ぜひ、サイボーグに仕上げて下さい」

「では、やってみましょう」

それは大がかりな治療だった。各病院から一流の専門医が呼び集められ、精巧な人工臓器が用意された。金に糸目はつけないというので、最高のことがおこなえた。

治療が終ると、社長ははじめて言った。

「わしは命をとりとめたようだな」

「はい。できうる限りのことをいたしました。ご気分はいかがです」

「きわめていい。この義手義足は、ステンレス製のようだな。金とどっちがいい」

「それは金のほうがすぐれています」

「では、それにとりかえてくれ。頭をおおっている部分もだ。それから、もっと美しい声にならぬものかな。玉をころがすような声に……」

「人工声帯をつけかえれば……」

「そうしてくれ」

社長はいろいろと注文をつけた。医者は劣等感防止の役に立つならと、そうした。人工耳ももっと性能のいいのにとりかえられた。

外見はふとったロボットと同じだった。内部もほぼ似ている。人工頭脳ならロボットだが、サイボーグは当人の本物の脳なのだ。しかし、このちがいは大きい。サイボーグの本質は人間なのだ。人間としての感情が、変ることなく残っている。

社員が見舞いにきて言った。

「お元気になられて、けっこうでした」

「いやあ、事故で入院する前より、もっと元気になったような気がする。元気になった上に、どうだ、この手足、この頭。きらきらする黄金の輝きだ……」

「おきれいでございます。うらやましい」

社員は帰りがけに医者の部屋へ寄って言う。

「本人はとくいがっております」

「よかった。機械人間になったことで悩むかと心配だったが、ほっとした。となると、退院して仕事をしてもかまわない。ただ、周囲の人は心づかいを忘れぬように」

医者が全快とみとめ、社長は会社の仕事に戻れた。社長の死による事業の混乱は避けられた。しかし、社員たちにとって、あまりいいことはなかった。

「どうだ、きみたち。この手足は……」

「光り輝いて、まぶしいほどでございます。おみごとでございます」

そう言わねばならず、そう言わぬと社長は満足しないのだ。言われると大いに喜ぶ。

「そうだろう。われながらいい気分なのだ。日の光でぴかっとする時など、自分が神になったような思いがするぞ」

などと、とめどなくしゃべるのだ。人工声帯によって、玉をころがすような声になっている。うぐいすのさえずりのような、かん高い声。社長は、それに自分でもほれぼれしてしまうのだ。だから、しゃべるのはさらに長くなる。

しかし、聞かされるほうはたまらない。目の前で、きらきらする腕をふりまわされ、かん高い声につきあわされるのだ。そして、話の内容は美しいことのじまんばかり。

「ひどいことになったなあ。こっちの頭がおかしくなるよ……」

などと、小声でかげ口をつぶやく。しかし、社長の高性能の人工耳は、いかに遠くからでも、それを聞きのがさない。

「おい。なにか言ったな。ここへ来い」

「はい。社長の美しさに接しまして、これまでの美についての常識がくずれました。頭の切替えの必要を感じたのです。いかがでしょう。手足に宝石をちりばめるというのは」

「いい考えだ。やるとしよう」

さらに飾りたてられた。サイボーグの動力は電気であり、体内では栄養液が循環し、脳に活力を送りつづけている。だから、疲れることもないのだ。社長は、朝はやくから夜まで会社にいる。そして、小さな話し声もすぐ聞きつける。

「どうだ、このきらめく手足。美しい声、疲れることのないからだ……」

たえず、こうしゃべりつづけている。会社の業績は向上したが、社員たちはしだいにノイローゼになる。社長をなおした医者のところへ行き、訴える社員もあった。

「このごろは、普通のからだの持ち主であるわたしのほうが、なにか劣っているように思えてなりませんよ」

医者は腕ぐみして、ため息をつく。

「こんな結果になるとはね。心配してたことと逆になったが、喜んでいいのかどうか……」

# 樹《き》

「まったく、便利なものだなあ、おまえは……」

と男が言った。ここは宇宙船のなか。乗員は彼ひとりだった。新惑星を発見するため地球を出発したのだが、計算上の目的地点に惑星はなく、帰途についた。出発してから、数年がたっている。

男が話しかけたのは、一本の樹だった。それは宇宙船のなかにある。高さは男の身長より、ちょっと高い。幹はふとく、径四十センチぐらいある。たくさんの枝が出て、葉もまたたくさんついている。

「大変な傑作だよ、おまえは……」

まさにそれは、植物研究所の作りあげた傑作だった。高度な科学、品種改良の成果と、栽培技術の発達によるものだった。

「きれいな花も見せてくれるしな……」

樹のどこかで、花はいつも咲いていた。うっすらと赤い白っぽい花。つぼみが開く時、それはとくに美しかった。ほかにながめるものがないせいもある。窓のそとの星々には変化がないし、つんできた本や音楽にはあきてしまった。

そこへいくと、花はいつも新鮮だった。かすかだが、いいにおいがする。いつまでもあきないにおいだった。

「おまえがいなかったら、おれは時間をもてあまし、頭がおかしくなっていただろうな」

樹は、この宇宙船ではじめて実用に供された。だから、宇宙船乗員のなかで、この樹を使用したのは、この男が最初だった。

花が散ると、実を結びはじめる。はじめのうちは青く小さいが、その色がうすれ、ピンク色になり、やがて赤く熟してくる。その色の変化をながめるのも、また気ばらしになった。

赤く大きく熟した実を、男はもいで食べる。水分に富み、かすかに甘く、いい味だった。この味も、あきることがなかった。変化をつけたければ、木の葉をかじればいい。すっきりした味だった。葉の柄の部分をかじると、塩からい味がした。

食べ方は、実にかじりつく以外にもあった。つぼのなかに入れておくと、そのうち酒となる。口あたりもいいし、酔い心地もよかった。

男はそれを飲み、目を細めて言う。

「こんなサービスもあるんだからなあ。以前は、宇宙旅行では酒が禁止だったものだ。よけいな荷物だということでな」

熟した実は、枝のどこかに、適当な数がいつもなっていた。多すぎも少なすぎもせず、男の食料として、それは必要にして充分な量だった。

樹のせわは、これといってしなくてよかった。男は船内の便所で排泄《はいせつ》していればよかった。それは自動的に樹の根のほうに送られ、樹は養分として吸収する。それは樹にとって、必要にして充分な量だった。

男は呼吸をし、酸素を炭酸ガスに変える。樹はその炭酸ガスを酸素に変えた。光合成にはエネルギーがいる。それは船内の上部からの、強い光によってだった。しかし、光がいかに強烈でも、しげった葉でさえぎられ、下でねそべっている男にとって、まぶしいものではなかった。

つまり、光線の電源である原子力電池のつづく限り、両者のあいだは完全に調和がたもたれ、うまくゆくのだった。

「息のあった仲間だな」

男が言った。船内には万一の場合にそなえて、普通の食料もつみこまれてあった。

しかし、男はそれを使わなかった。樹との調和を乱すことになるのではないかと思ったからだ。また、普通の食料を食べようという気にもならなかった。

最初のうち、男はちょっと落ち着かなかった。自分の排泄物を、この樹を通じて食べているのだとの意識があった。しかし、それも忘れた。花は美しく、実の味はいいのだ。

「おまえのほうも、最初のうちは同じように、そう感じてたのかもしれないな」

樹と自分とは、成分のキャッチボールをしながら生存している。そう考えることで、かえって親近感が深まってきた。出発以来、数えきれぬほど実を食べた。その回数だけ、おたがいのあいだで循環がおこなわれた。そして、無数としかいいようのない呼吸。樹と人は、たえず空気のやりとりをしていた。

船内の空気に、病原菌はふくまれていなかった。男はかぜをひいたりすることなく、樹もまた病害にやられなかった。ここはいつも清潔であり、おだやかであり、時の流れを忘れさせた。

時を感じさせるものといえば、地球に近づくにつれて、定時通信の無電がはっきりしてくることだった。宇宙船の移動を実感する。

地球からの無電が言う。

〈異状はないか〉

〈はい。順調に飛行中です。地球に帰るのは、何年ぶりかです。わたしの留守中での大きな事件はなんでしょう〉

〈さあね。こんなことぐらいかな。いったんはおさまった大気汚染が、また問題になってきた〉

〈そうですか〉

と答え、男は無電を切った。それから、しばらくして樹に言った。

「おい、聞いたか」

大気がよごれているそうだ。この清潔な空気を吸いなれたおれに、それへの順応ができるのだろうか。徐々になれてきている地上のやつらとはちがうのだ。

「聞きました」

と樹が言った。男はべつに驚かなかった。樹は自分の一部のような親しい存在なのだ。

「おれは地球へ帰るのをのばそうと思う。当分このまま飛びつづけていよう。帰って、おまえと別れさせられたら、おれは死ぬかもしれない。そんな気がする。原子力電池は、まだまだもちそうだ。おれはそうしたいのだが、おまえの意見はどうだ」

「賛成です」

「枯れたりするなよ」

「あなたも、死んだりしないで下さい。あなたは、わたしの一部なんですから……」

やがて、樹がつぶやいた。

「……まったく、便利なものですね。あなたは……」

# 七人の犯罪者

時刻は夜中、ビルの屋上。周囲を見まわしてから、エヌ氏は声をひそめて、ほかの四人に言った。

「ここなら、だれにも盗み聞きされない。わたしの犯罪計画をうちあける。その前に言っておく。もし、気の進まない者がいたら、いま立ち去ってくれ。べつに止めはしないし、ひどい目にあわせたりもしない。遠慮しないで帰っていいぞ」

しかし、だれもその場を動こうとしなかった。エヌ氏は念を押す。

「ということは、みな、協力してくれるというわけだな」

「そうですよ。もちろんです」

四人は、はっきりと答えた。なかには、待ちかねているように質問する者もあった。

「いったい、どんなことをやるのです。危険な仕事ですか」

「いや、そんなことはない。犯罪というものは、スリルを楽しむためのものじゃない。安全かつ確実に、なるべくたくさんの収穫を手にすることだ。この仕事も、そういうたぐいだ。すきをついて家のなかに侵入し、金目のものをいただいて帰るだけだ。そんなのはつまらないという者があったら、ここから帰ってもいいのだぞ」

またもエヌ氏が言ったが、だれも帰ろうとしなかった。ひとりが言う。

「どこの家をねらうのです」

「あそこの家だ。ほら、あの大きな木のそばに、一軒の家が見えるだろう……」

エヌ氏は指さし、ポケットのなかから紙片を出して渡した。

「……これが、ここからあの家までの道順だ。よく見て頭に入れたら、つぎの者に渡してやれ。最後にわたしにかえしてくれ。落したり捨てたりすると、それが手がかりとなって発覚するもととなる」

暗いなかで懐中電灯の光に照らされ、紙片は各人の手から手へと回った。つづいてエヌ氏は、べつな紙片を出して言う。

「道順をおぼえたら、こんどはこれだ。すなわち、家のなかの図面。ここが玄関、ここが裏口。しかし、われわれはここの窓から侵入する。そのあと、この部屋を抜け、つぎの部屋に行くと、そこに金庫がある。おい、金庫をあける分担の者、その自信はあるのだろうな」

「大丈夫ですよ。わたしは、これまで何度もやっています。必要な道具はすべて持っ

てきました。で、金庫の型はわかりますか。それがわかれば、あけるのに要する時間もはっきりするのですが」

金庫やぶりの担当者は、道具類を見せながら聞いた。エヌ氏はうなずき、しばらく考えてから答える。

「わたしの首ぐらいの高さのやつだ。Aの五二五型とかいうやつかな」

「それでしたら、十三分ぐらいであけられましょう。まかしておいて下さい」

エヌ氏はべつな者に言う。

「あの家には、留守番の老人がひとりいる。気づかれたら、おどしておとなしくさせねばならない。その用意はどうだ」

「この通りです」

そいつは服の下から短刀を出した。エヌ氏はそんなふうに、ひとりひとり点検してから言う。

「わたしは先に入って、窓をやぶり、電話と非常ベルの線を切断する。だから、その心配はしないで、落ち着いて仕事をしてくれ。そして、帰りは玄関を内側からあけて出る。わかったな。あと、なにか質問はないか」

「計画は万全なようですが、その金庫のなかに、金はあるんでしょうね」

「そりゃあ、あるさ。わたしは、わけがあって、あの家の内情にはくわしいんだ。だから、家の内部についても、よく知っているのだ。また、あの家の主人が、いまいないことも知っている。侵入するには、今夜が絶好なのだ」

「そうとは知りませんでした」

「さあ、出かけよう。いっしょに行くと、人目について怪しまれる。ここをひとりずつばらばらに出て、二十分後にあの家のそばに集ろう。あの大きな木の枝に飛びつけば、塀は簡単に越えられる。こううまい仕事は、めったにないぞ」

「わかりました」

「まず、わたしから行く」

エヌ氏は屋上からおり、ビルのそとの道路へ出て歩く。めざす家へと。知恵をしぼって考えた計画だ。ぜひ成功させねばならない。仲間の四人、うまくやってくれるだろうな。

ありふれた犯罪と思う人があるかもしれない。しかし、これはちょっとちがうのだ。大通りから横道へ入る。ときどき時計をのぞきながら、エヌ氏はゆっくりと歩く。早くつきすぎてもいかんのだ。目標の家が見えてくる。このへんの地理に、エヌ氏はくわしい。彼はいささか妙な気分だった。その家は自分の家なのだから。仲間を集め、これから自分の家へ侵入しようとしているのだ。

二年ほど前に、エヌ氏はあることで逮捕された。ことのおこりはこうだった。あるバーで、なんとなく知りあった男と酒を飲んでいると、そいつにこう言われた。

「きょうは飲みすぎたせいか、気分がよくない。あるものを友人に渡す約束があるんですが」

「それはいけませんな」

「もし、あなたがおひまでしたら、お願いしたいんですがね。いえ、ただでとはいいません。タクシー代をさしあげます。それに、少ないけれど、これはお礼です」

その男はエヌ氏に金を渡した。魅力的な金額だった。

「そんなにいただいては……」

「いいんですよ。で、品物とはこの小さな箱です。とどけ先は、箱の上に地図が書いてあるでしょう。そこです。なにも面倒なことはありませんよ。その家の郵便受けに入れていただけばいいんです」

「そんな簡単なことで、こんなにお礼をもらっては……」

「ぜがひでも今夜中にとどけなければならないのですが、わたしは気分が悪くなった。

これぐらいのお礼は当然です。しかし、途中で持ち逃げしたりしないで下さいよ」

「その点はご心配なく。必ずとどけておきますから」

エヌ氏は小さな箱をあずかり、地図をたよりにそこへ行った。そして、郵便受けにほうりこんだ。これで、約束ははたしたと……。

その時、物かげからあらわれた警官に、逮捕されてしまったのだ。なにがなんだかわからなかったが、署で調べられているうちに、ことの重大さがわかってきた。あの箱のなかには、少量だったが、法で禁じられている麻薬が入っていたらしい。

たのまれただけですよと弁解したが、信用してもらえなかった。警官がそのバーに急行したが、その男はすでにいなかった。店の者も、よくおぼえていないと言う。つまらん巻きぞえをくらったと後悔しても、もはや手おくれ。なにしろ現実に麻薬を運んでしまったのだ。事態はよからぬ方角へと進展した。

裁判となり、エヌ氏の弁護人の努力もむなしく、ついに有罪となった。裁判官が言う。

「被告に懲役十年の刑を宣告する。麻薬は社会をむしばむ、許しがたい存在だからだ」

「そんな刑を受けるなんて、不満でなりませんが、判決となればしようがないわけでしょう。あきらめます」

「なお、被告と内密に相談したいことがあるので、これからわたしの部屋まで来てもらいたい」

エヌ氏は裁判官の部屋に連れて行かれた。二人だけになると、裁判官は言った。

「刑は確定した。ところで相談だが、懲役に行きたいか、行きたくないか」

「なんですって。からかっているんじゃないでしょうね。そりゃあ、行かないですめば、どんなにありがたいことか。十年間も社会から切り離されるのは、たまりませんよ。そんな方法があるんですか」

「ある。ただし条件つきだがね」

「教えて下さい。どんなことでもやりますよ。懲役になったんじゃ、酒も飲めず、まるで自由がないんでしょう」

「いいか、二年間の猶予《ゆうよ》を与える。そのあいだに、犯罪者を七人つかまえるのだ。ここにパンフレットがある。逮捕状が出されていて、まだつかまっていない者の写真と特徴が印刷してある。これを渡すから、つかまえるか、所在を通報するかしてくれればいい」

「はあ……」

エヌ氏はパンフレットをめくった。かなりの数の人物がのっている。裁判官が言う。

「ここにのっている者に限らない。現行犯の逮捕や通報でも同様だ。自分で費用を出し、人をやとって手伝わせてもいいぞ。なんでもいいから、二年間に七人。それができなかったら、猶予は取り消され、刑務所に送られることになる。一生かかってもいいとしたのでは、刑の意味をなさんからな。どうする」

「やりますよ。できるだけ努力します。しかし、こんな特例ができていたとは知らなかった」

「司法関係者がいろいろ相談し、この特例を作ったのだ。知っての通り、犯罪は増加の傾向をたどっている。一方、警察官をむやみにふやすことは、予算にしばられてできない。刑務所の増築にも金がかかるとくる」

「そうでしょうな」

「そこで、この名案が出てきたのだ。二年間の猶予を与えて、七人の犯罪者を逮捕させる。刑務所もそれだけ余裕ができるし、警察官の手助けにもなる。毒をもって毒を制すだ。しかもだ、計算上からいえば、犯罪者は大はばに減るはずだ。世のためにもなるわけだ」

「名案かもしれませんな。では、さっそく出かけることにします」

「まて。その前にすることがある。おまえのからだに、小型電波発信器をうめこむ手術をする。これさいわいと姿をくらまされては、かなわんからな。その電波によって、おまえの所在はつねにあきらかとなる。期間中に罪を重ねたら、すぐに発覚するぞ」

「そういうしかけとは……」

「当局もそう甘くはないよ。注意しとくが、それを自分で体内から取り出そうなどと考えるなよ。しろうとがへたにいじると、たちまち強い電流が発生し、命にかかわる」

「なにからなにまで、うまくできているな。懲役とどっちが大変か、わからない」

「すぐに刑務所へ行きたいのなら、そうしてもいいんだぞ」

「いえ、やりますよ。働きがいのあるほうがいい。必ず七人とっつかまえ、刑期を帳消しにしてもらいます」

「では、成功を祈る」

裁判官にはげまされ、エヌ氏はしばらくの自由を手にした。この特例はなるべく内密にするよう言われており、知人にであった時は、特別保釈と答えることにしておいた。また、知人と会って話したりしているひまもなかった。なにしろ、責任をはたさなければならないのだ。二年という期限内に。

はじめてみると、容易でないことがすぐにわかった。どこをどうさがしたらいいのか、見当もつかない。まず、もらったパンフレットを一日に何回となく開き、そこの顔写真をおぼえこむよう努力した。

そして、他人の顔を観察しながら歩きまわる。顔写真の下には、犯人のくせや好み、かつての住所などがのっている。それらを参考に、出現しそうなところをうろついてみる以外になかった。

ひと月ごとに、パンフレットの改訂版が郵送されてくる。新しい人物が加わり、すでに逮捕された者が消されている。消えた者の数をかぞえながら、だれがやったのだろうと、エヌ氏はうらやましく思った。

パンフレットから消えるのは、都会より地方においてのほうが多いようだった。そういう統計ものっているのだ。逃走犯人とすれば、なるべく人目につかないところにいたい気分なのだろう。

となると、都会にいたのでは、能率があがらない。旅をすべきだ。エヌ氏はそれにとりかかった。気楽な旅ではなかった。警察官たちの苦労がわかるような気がした。

都会のような人ごみでないので、他人の顔をひとりひとり観察しやすい。なるほど、地方での逮捕者が多いのは、そのせいかな。彼はひとりうなずいたりした。

半年ほどたって、ついに、パンフレットのなかのひとりにめぐりあった。山奥の川で養魚場をやっていた。どこかで見た顔だなと気づき、パンフレットのなかの人物を思い出し、もよりの警察に通報した。

やっとひとり。その感想は悪くなかった。わけを話すと、警察は証明書を発行してくれた。これをあと六枚、集めなければならないのだ。

金があれば、探偵をやとって手伝わせることもできる。しかし、エヌ氏にそんな大金はなく、探偵がさほど熱心に動いてくれないといううわさも聞いていた。自分の力でやらねばならない。

休むひまなく、旅から旅の日がつづく。むかしの、かたき討ちとはこういうものだったのかなと、エヌ氏は思う。ひまさえあればパンフレットをのぞき、そこの人相を頭のなかに焼きつける。

人間の顔についての、ひとかどの権威になってきたような気がした。彼はパンフレットにハサミを入れ、自分なりに分類して、並べなおした。確認するのに便利なようにだ。

しかし、ふたり目にはなかなかめぐりあわなかった。逃走する側も必死なのだろう。のんびりはしていられないし、といって、あせっては注意が散漫になる。

さらに半年ほどたった時、エヌ氏はどこか気になる人物とすれちがった。パンフレットにない人相だが、なにかひっかかる。あの耳の形。彼は分類しなおした顔写真で、その耳の形のところを見た。顔はちがっているが、身長や歩き方の特徴は一致している。もしかしたら、整形手術をしたのではないだろうか。

エヌ氏はひそかにあとをつけ、そいつがなにかにさわるのを待ち、そっと指紋を調べてみた。いつも持ち歩いている指紋採取器が、ここで役に立った。照合してみると、まさに逃走犯人。

さっそく警察へ通報した。しかし、やつはかんづいたのか、どこかへ行こうとしはじめた。ここで見失ったら、大損害だ。こっちの刑務所入りの確率が、それだけ高まる。エヌ氏はがまんしきれなくなり、飛びかかった。

乱闘のあげく、力のつきる寸前、相手をなんとかなぐり倒すことができた。そこへ警官がかけつけてきた。エヌ氏はパンフレットを見せ、ひきわたす。

「この男にまちがいありませんよ」

「みごとな活躍です。あなたに表彰状をさしあげますから、どうぞ本署まで……」

「それをいただける身分じゃないのです。特例によって猶予中の身なのです。証明書を一枚いただければ、けっこうです」

「あ、そのたぐいのかたでしたか。なかなか大変でしょうな。あと何人です。え、五人。ご健闘を祈りますよ」

ほぼ一年かかって、やっと二人だ。あと一年しかない。約束の数をこなせるだろうか。なれてくるにつれ、能率もあがるものなのだろうか。

しかし、そうもいえないようだった。そのあと半年あまりは、なんの収穫もなかった。なれや努力ではなく、幸運のしめる割合のほうが多いようだった。

もはや、あと半年しかない。エヌ氏はいらいらしてきた。あせってはだめだと思いながらも、その気分をどうしようもなかった。やはり人の多く集る都会のほうがいいかもしれぬと、またも戻ってきた。だが、なかなか三人目にめぐりあえなかった。

ある日、道を歩いていると、予期しなかった幸運にめぐりあった。走ってきた自動車が通行人をはねとばし、そのまま逃げ去ったのだ。しかし、エヌ氏はその番号を一瞬のうちに読みとっていた。旅をつづけながらの日々で、注意ぶかくなっている。

エヌ氏は警察へ行って、その番号を告げた。まもなく、ひき逃げの人物が逮捕された。おそるおそる質問する。

「これも逮捕協力になるのでしょうか」

「なりますよ。ひき逃げは犯罪であり、あなたは現行犯を通報したのですから」

「ありがたい。では、そのことの証明書を下さい」

それをもらい、エヌ氏は喜んだ。といっても、これでやっと三人目だ。あと四人。残された期間は、半年もない。むずかしいのではないかと、不安になってきた。だめだったら、刑務所に送られてしまう。

現行犯にめぐりあいたいものだな。しかも、四人組の現行犯に。現実ばなれしたそんなことを、熱心に期待するようにさえなった。どうやったら、それにめぐりあえるだろう。

考えつづけたあげく、彼は思いついた。

「そうだ。いい方法がある。その四人を作り出せばいいのだ。いなければ、わたしが出現させればいいのだ」

エヌ氏は慎重にその計画にとりかかった。パンフレットの顔写真をながめつづけてきたおかげで、犯罪者らしき顔つきに、いくらかの勘が働くようになっている。

これはという人物をみつけると、それとなく話しかけ、弱味をにぎって、しだいに仲間にひきいれてゆく。注意ぶかくやる。相手に気づかれたら、万事休すだ。

そして、やっと四人がそろった。いま、そいつらを連れて、自分の家へ侵入するところというわけだ。

エヌ氏は四人の者に言う。

「まず、わたしが入り、電話と非常ベルの線を切る。すんだら、懐中電灯を点滅させて合図するから、あとにつづいてくれ」

木の枝につかまって、塀を越える。なにしろ、勝手を知った自分の家だ。窓をこじあけ、なかに入る。そして、なにはさておき警察へ電話をした。

「わたしの家に、強盗が入りかけています。すぐ来て下さい」

これでいい。四人が窓から入ってくれれば、現行犯でみんなつかまる。わたしはなにも知らぬと主張すればいい。わたしが指示したという証拠は、なにもないのだ。

窓から懐中電灯を点滅させる。しかし、どういうわけか、だれも入ってこない。なにをぐずぐずしているんだ。早くこっちへやってこい。

そのうち、パトカーの音が近づいてきた。とんでもないことになりゃがった。パトカーめ、早く来すぎたぞ。なんとなくようすがおかしかった。

パトカーが到着し、警官が入ってきて、エヌ氏に言った。

「ここでなにをしている」

「なにって、わたしの家ですよ」

「おかしいな。ここへ賊が侵入したと、電話で通報があったのだが」

「それは、わたしがかけたんですよ。たしかに侵入されかけていた」

「警察への電話は、そのほか四カ所からかかってきたのだぞ」

「なんですって。さては……」

エヌ氏は気づく。あの四人、それぞれ自分と同様の、特例による猶予中のやつだったのだな。どうりで、表面はいやに協力的な態度で、こっちの犯行計画にのってきた。ばらばらにここへ来る途中、各人が電話したのだろう。まったく、油断もすきもないやつらだ。

ここに至って、彼はもっと深刻なことに気づいた。自分がこんなはめにおちいった、そもそものおこりの、いつかの麻薬事件。箱を渡してきたやつも、そうだったのではなかろうか。猶予中のやつが知人にたのんで、こっちに箱を渡させた。そして、警察へ通報したのかもしれない。うまくやるには、ああいうふうに巧妙にやらなくてはいけないようだ。

## 大洪水

あけがたちかく寝床のなかで、なかば目ざめ、なかば眠りといった状態のノアは、神の声を聞いた。

「このごろの世の中、面白くない。そのため、五カ月後に大洪水をおこす。いい人間と悪い人間とをよりわけるためだ……」

はっと目をさます。いまの言葉はあざやかに記憶のなかにある。それをくりかえし口ずさんでいるうちに、ノアはことの重大さに気づいた。

「大変だ、大変だ。ぐずぐずしてはいられないぞ。手をこまねいていたら、とりかえしがつかなくなる」

叫び声をあげると、朝食の用意をしていたノアの妻は言った。

「なにをねぼけているの。落ち着いてよ。あなたはそそっかしい性格なんだから、困ってしまう。つめたい水で顔でも洗って、さっぱりしたらどう」

ノアは顔を洗い、妻のほかに、三人の息子を集めて言った。

「おれはちゃんと顔を洗った。ねぼけているわけではない。きのうは酒を飲まなかったから、二日酔いでもない。気はたしかだ。ここで一家の責任者として、命令をする。ただちに舟の製造にとりかかれ。おれも働く」

「作れというのなら、作りましょう。しかし、舟なら一隻《せき》あるじゃありませんか」

と息子が言ったが、ノアは首をふった。

「いや、あんな小さいものではだめだ。できうる限り大きなのを作るのだ。ただし、推進装置は不要だ。ただ水に浮くだけの、箱舟というやつでいい。しかし、甲板に屋根をつけなくてはならない」

「どういうつもりなんです」

「あれこれ質問はするな。作ればいいのだ。文句をいうやつは、ひっぱたく。さあ、すぐにとりかかれ。急げ、急げ」

ノアはみなをせきたてる。しかし、大型の舟となると、短時日では完成しない。しかも、目的がはっきりしないのだ。せきたてられても、働く意欲が高まらない。三人の息子たちは、ぶつぶつこぼしあう。

「なんのために作るのだろう。水上レストランにでもして、もうけるつもりなのだろうか」

「ばくち場にするのかもしれない。このほうがもうかるからな。だが、なにもそう急ぐことはないはずだ。毎日毎日、休むことなく働かされ、ガールフレンドとも会うことができない。親子でなかったら、とっくのむかしにスト突入だ」

工事進行の速度は、大はばに低下した。ノアは気が気でなく、息子たちをどなる。

「なまけてていかん。ぐずぐずしていると、えらいことになるのだ」

「なぜ急ぐ必要があるのか、わけを教えて下さい。人間というものは、やっていることの意義がわからないと、能率があがらないのですよ」

「そういうものかもしれないな。しかし、これは絶対に秘密だぞ。だれにも口外するな。まもなく大洪水がおこるのだ。それまでに舟を作っておけば、わが一家は助かる。わが一家だけが助かるのだ」

「本当ですか」

「本当だ。だから、手抜き仕事をするな。命にかかわるぞ」

そのノアの言葉を信じる以外になかった。考えてみると、ノアにはそそっかしいところはあるが、これまでこんなに躍起になったことはなかった。となると、本当かもしれぬ。ばかにして死ぬよりはいい。三人の息子たちは、これまでより仕事に熱を入れはじめた。

大ぜいのなかで、自分たちだけが助かる。これは、いささかいい気分だった。いそいそと働いていると、そこへ長男のガールフレンドがやってきた。

「ねえ、このごろ、ちっとも会ってくれないのね」

「ごらんの通り、いそがしいんでね」

「どういうつもりなの。意味ありげに、にやにやしちゃったりして。俗悪なナイトクラブに仕上げ、安っぽい女たちを集めるんでしょう。みそこなってたわ。もう、あなたとはつきあわないから」

「まってくれよ。そんなんじゃないんだ」

「じゃあ、教えてよ。あたしにも秘密にするなんて、水くさいわ」

「弱ったね。話してもいいけど、だれにも言うなよ。じつは、まもなく大洪水がくる。これに乗っていれば、助かるのだ。この洪水予報は、どうやら確実らしいのだ」

「まあ、そうだったの。ねえ、あたしも乗せてよ、いいでしょ」

「ううん……」

「あたしを愛してるんでしょ。それに、あなたが洪水を切り抜けたとするわね。そのあと、子孫をどうやって残すつもりなの。あたし、いい奥さんになるわ。おとうさんに許可をもらってよ」

筋の通った議論だった。息子の申し出に対して、父のノアは承諾を与えないわけにはいかなかった。女を乗せることにし、そのかわり舟の建造を手伝わせることにした。この件はそれで片づいたが、おさまらないのは、ほかの二人の息子たち。兄だけ結婚でき、自分たちができないというのは不当だ。女さがしに行ってくると、出かけていった。

そして、それぞれすごい美人を連れて戻ってきた。この女がいいと目をつけ、おれといっしょになれば助かるとくどくと、必ず首をたてにふるにきまっている。それを見て、長男ははやまったなと後悔した。よりどりみどりの権利があるのだから、もっと美人を選べばよかった。しかし、もはや手おくれ。

長男と二男の婚約者は口がかたかったが、三男の女は、事情を家族にしゃべってしまった。肉親に対する愛情として、それは当然のことといえるだろう。

その女の父母や兄弟は、妙なくどきかたもあるものだと、話を聞いても最初のうちは半信半疑だった。しかし、やってきてノア一家が大まじめで舟を作っているのを見ると、なんだか不安になってきた。ノアに交渉する。

「どうやら、洪水が来るのは本当のようですな。いっしょに乗せて下さいよ。姻戚《いんせき》じゃありませんか」

「だめですよ。そんなに乗せられる設計じゃないのです。これぱかりはだめです」

「そんなつめたいこと言わずに」

「なんといわれてもだめです。あなたがたは勝手にしなさい」

「それなら、勝手にしますとも」

乗せてくれないのなら、こっちでも舟を作るまでさ。しかし、どうやって作ればいい。女に設計図をひそかにうつしてこさせ、それをもとに作りはじめる。

山から材木を切ってきて、それを板にし、なんとか舟の形に組み立ててゆく。着工がおくれているのだ。洪水の期日にまにあわせるには、急がねばならない。

異常ともいえる熱中だった。ひと目をひくことにもなる。やってきて質問する者も出てくる。

「なんで不意に舟を作りはじめたのです。むこうではノア一家が舟を作っている。あいつらはおっちょこちょいなところがあるから、変なことをはじめても理解できる。しかし、あなたがたまで、それのまねをするとは……」

「レジャーですよ。舟遊びは健康にもいいのです」

「どうも怪しい。レジャー用なら、もっとのんびり作ってもいいのに、なにかただならぬ感じがする。ふしぎだ。うむ、想像がついてきたぞ。あなたはわたしから、かなりの金を借りている。それをふみ倒して逃げようというんでしょう。そうにちがいない。だまされませんぞ」

「弱ったね。そんなんじゃないんですよ」

「じゃあ、目的を教えて下さい。まともな説明ができなかったら、夜逃げ用とみとめざるをえない。この作りかけの舟を、貸金のかたとして取りあげます。見ているうちに、これを自分のものとして、舟遊びがやりたくなってきた」

「そう問いつめられると、話さなくてはならないな。じつはね……」

これこれしかじかというわけだと、説明がなされる。

「なるほど、そうでしたか。となると、うかうかしてはいられない。うちの家族も乗せて下さい。それを条件に、貸金は帳消しということにしましょう。命あってのものだねだ。費用が不足なら、もっとお金を出しますよ。おたがいに悪くない話でしょう」

「そうですな。もっと金と人手が欲しかったところです。手伝って下さい」

こうなってくると、もはや秘密の保持はむずかしくなってくる。うわさはいつしかひろまり、金のある連中は、だれも舟つくりに着手する。しかも、急がねばならない。山からどんどん木を切り倒し、製材し、舟の工事を進める。まったく、時ならぬ造船ブーム。人をやとわなければならず、その監督者もやとわなければならない。

いよいよ洪水の予定日が迫ってきた。乗せてくれ乗せてくれと、押しかけてくる連中もあらわれる。

それを追いかえすために、警備員をやとうことにもなる。その警備員たちがいばりだす。

「おれたちは乗せてくれるんだろうな。使うだけ使って、はいさよならでは、承知できない。おれたちは断固として乗りこむぞ。そして、乗っとってやる」

「わかった、わかった。こうなったら仕方ない。要求はのむよ。だから、すべてよろしくたのむ」

どうもこうもない大さわぎ。

やがて、空が曇りはじめ、ぽつりと大きな雨滴が落ちてきたのをきっかけに、大雨が降りはじめた。やむけはいはない。あとのことを考えずに山の木を切り倒してあるので、洪水にもなりやすい。

舟を持てなかった人びとは、高い丘の上にのがれ、そこから舟に呼びかける。

「おおい、たのむよ。われわれも乗せてくれ。お願いだ」

「おあいにくさまだ。働いた者にだけ、舟に乗る権利がある。アリとキリギリスの話を思い出せ。やあい、ばか。乗せてもらいたければ、ここまでおいでだ」

来いといったって、水が荒れ狂っており、舟に近づけるものではない。

「なんというひどいやつらだ。おぼえていろ」

おぼえていろといっても、どうにも手が出せない。うらめしげにながめている以外になかった。

しかし、見ていると、そこに予期しなかった光景が展開した。水に浮んだ舟は、いずれも波にゆられ、ぶつかりあう。数が多く、舵がついていないのだから、よけようにも自由がきかない。また、どれもこれも大ぜい乗っているので、沈みやすい。

つぎつぎと、みんな沈んでしまった。陸地に泳ぎつこうとしても、大洪水のなかでは、どうしようもない。全員絶望。

あっぷあっぷしながら、ノアは叫ぶ。

「こんな目にあうとは。神さまもひどい」

天のほうで声あり。

「こんどは前回と逆をやろうとしたのだが、おまえは終りまで聞かず、さわぎだした。気の毒ではあるが、あきらめてくれ。しかし、軽率で、利己主義で、付和雷同性のある連中が、これでだいぶへるはずだ。世の中もいくらかよくなるだろう」

# 高度な文明

一台の空飛ぶ円盤がやってきて、郊外に着陸した。乗っているのは、ひとりの宇宙人。人びとが遠巻きに見まもるなか、宇宙人は外へ出て、赤い光線を発射した。それによって、まわり百メートル平方が平地となった。

つぎに光線は青となった。それは地面に深い穴をあけた。あっというまに井戸ができ、水の使用が可能となった。また、掘り出した石に黄色い光線をあてると、一瞬のうちに、みごとな彫刻となった。

「ああも簡単に、土木工事をやってのけるとは。おそるべき科学力だ」

これが人びとの感想だった。いや、感嘆というべきかもしれない。なかには、感嘆を通りこして恐怖にかられ、思わず石を投げたやつもあった。しかし、その石は宇宙人にぶつかる前に、電磁力により空中で砕けた。

いずれにせよ不祥事だ。謝罪の意志を示さなければならない。地球側の代表者が、おそるおそる進み出て頭を下げた。

「なんとおわびしたものか……」

「ご心配なく。おかしなやつは、どこにもいくらかはいるものです」

それを聞き、地球の代表はほっとするよりさきに、言葉の通じたことに驚いた。いつのまにどうやって習得したのかわからないが、大変な技術力の持ち主らしい。それをきっかけに、会話がはじまった。

「ここまで、どうやっておいでに……」

「恒星間飛行は、距離を克服することです。光の速度を越えなければなりません。時間のずれの問題がからんできますが、それよりも重力の制御による、生命現象への影響のほうが微妙でして、すなわち……」

宇宙人は流れるようにしゃべる。しかし、地球人にはその一割も理解できなかった。科学知識の差を、痛いほど思い知らされた。理論への質問は山ほどあったが、それはあとまわしにして、話題を変えた。

「なにをしに、おいでになったのですか」

「友好のためです。しかし、おたがいに信用しあえるまでには時間がかかる。まず、食事をさしあげましょう……」

宇宙人は代表者を円盤内に案内し、料理を作り、自分も口にし、みなにすすめた。

その味のよさ、代表者たちは飛びあがりかけたほどだった。料理の技術も非常に高度だ。話しているうちに、宇宙人の人柄がわかってきた。警戒すべきだとの印象は消え、ひとがいいとしかいいようがなかった。だれかが聞く。

「気になるのでおたずねしますが、宇宙で病気になったら、どうするのですか」

「その点は大丈夫です。いかなる病気をもなおせる、医療装置を持ってますから」

「それはすばらしい」

見ること、聞くこと、味わうこと、驚嘆するばかりだった。この上は、少しでも早く地球人を信用してもらい、もっと深く、さまざまな教えを受けたいものだ。

そうこうするうち、数週間がたった。ある日、宇宙人が円盤から外へかけ出してきた。地球側が聞く。

「どうなさいました」

「ここの大気中に、特殊な微生物が存在するらしい。わたしのからだは大丈夫だが、円盤内の装置がそれにやられたようだ。危険のブザーが鳴ったので、急いで出てきた……」

その話がうそでないことは、すぐにわかった。円盤が爆発をおこしたのだ。地球人のひとりが言う。

「あぶないところでしたね」

「ぐずぐずしてたら、わたしも事故にあったでしょう。小型翻訳機を持ち出すだけが、せい一杯でした。円盤がこわれては、もはや故郷の星へ帰ることができない。残念です」

宇宙人は悲しげにつぶやいている。

「そうでしょう。どうおなぐさめしたものか、言葉もありません。これからは、わたしたち地球人すべてが、あなたのお世話をいたします。ご安心ください」

「ありがとう。思いがけないことで、ご迷惑をおかけすることになってしまった」

「いいえ、かまいませんよ。この事故、あなたにとってはお気の毒としかいいようがありませんが、地球にとっては幸運です。あなたに、ずっと滞在していただけるのですから。いろいろとご指導ください。最高のおもてなしをいたします。さびしさをおなぐさめするため、できうる限りのことをいたします。あなたの星の水準には及ばないでしょうが、その誠意はみとめて下さい」

地球側は、その約束どおりに宇宙人を待遇した。なにもかも超一流、心をこめたサービスをつづけた。高度な文明を教示してくれる、貴重な先生なのだ。宇宙人もその生活に、いちおう満足したらしかった。

宇宙人も帰りたいだろう。指導してくれれば、地球で円盤を作ってあげることもできるだろう。双方ともいい結果になる。

しかし、その期待に反し、ようすがおかしくなってきた。いつかは流れるようにしゃべったくせに、いまはなにを質問しても、しどろもどろの答えしかしてくれない。話題にするのは、故郷の友人のことばかり。地球人はふしぎがってさいそくする。

「もったいぶらずに、指導して下さいよ」

「そうしたいのですが、装置がだめになってはね。いつかの説明は、円盤内の装置が、この翻訳機を通じて話したのです……」

超光速原理も、料理法も、工事用の光線銃の構造も、宇宙人はなにひとつ知らない。知識をつめこんだ電子装置がこわれた現在では、ただの、ひとのいいやつにすぎない。

地球人たちはがっかり。

「ひどいもんだな」

「しかし、そういえば、われわれだって大差ないぜ。きみに一本のマッチが作れるか。ぼくも時計の修理ひとつできない。テレビの原理を知っている人が、どれだけいる。文明とは、そういうものなのだろうな」

## 確認

ある装置が開発された。個人識別機とでも称すべきもの。つまり、その人物が当人であり、他の何者でもないことを証明してくれる装置なのだ。

もう少しわかりやすく説明したほうがいいかもしれない。ある人が身分証明書、あるいはクレジット・カードのたぐいを持っているとする。しかし、その所持者が必ずしも、その名義人であるとは断言できない。この装置は、この点を解決してくれるのだ。

カードを装置に入れ、なにか声を出しながら、片手をのせる。すると、たちまちのうちに、カードの正当な所有者であることを確認してくれる。指紋と掌紋《しょうもん》、声の特徴、および血液型が、カードに暗号で記入されているものと同一であることを示してくれるというしかけ。もっとも、血液型といっても血をとるわけではない。声とともに出る微細な唾液《だえき》から、その型を判定するというわけ。これらを瞬間的にやってくれるというのが、この装置の効用だった。

まったく便利なしろものだった。これまでのクレジット・カードは、落したらことだった。拾った他人に悪用されかねない。そして、所有者か銀行か保険会社、そのどこかが損害をかぶらなければならなかった。この装置はその危険性をなくしてくれる。

印鑑だって、これまたあやふやだった。当人が承諾の上で押したのやら、だれかが無断で押したのやら、店で買って勝手に押したものやら、第三者にはみわけがつかない。これによるごたごたが、どれくらいあったものか。印鑑証明つきの実印という方法もあるにはあった。しかし、これだって万全とはいえない。実印を盗み出されたら、万事休す。

それらの問題点を、この装置は一挙に解決した。まさに、コンピューター社会にふさわしい装置、いや、不可欠な装置といえた。当人かどうかを、すぐに判定できるのだから。

当然のことながら、その装置の出現についての批判はあった。人間不信のあらわれではないかと。しかし、その批判もやがて消えていった。この装置をそなえつけたホテルが、拾った他人のカードを悪用しようとした人物を、何人かとっつかまえたのだ。悪人にとっては、てごわい存在。一方、善人にはなんの被害もない。正直者がばかをみない世の中、その実現に役立つことが知れわたった。

事実にもとづいた有益性だった。

この開発者は、特許登録をした。そして、製造にのりだした。そのメーカーは、たちまち大きく成長した。需要は相当なものだった。これをそなえれば、お客に疑いの心をいだかずに商売ができる。

メーカーは、この装置を販売したのではなかった。各企業にそれを貸しつけるという方法をとった。一台ずつでなく、二台ずつ。つまり、一台は故障した時のための予備なのだ。故障が発生したら、予備のを使ってもらい、そのあいだに完全なのをとどけ、故障品は引き取って修理する。運営はすべてスムースだった。賃貸料をとりはぐれることもない。

装置のメーカーは利益の追求ばかりでなく、カードの改良の研究をおこなった。偽造不可能なカードを作る研究だ。いかに装置が万全でも、カードの偽造が簡単だったら、意味をなさない。この両者があいまってこそ、はじめて完全といえる。そして、ついに絶対に偽造不可能なカードが完成した。

そこで装置のメーカーは、広告によって宣言をした。この装置があやまった判定を出し、それによって被害を受けた人が出た場合、いかに巨額であっても、当社が全部補償をするつもりであると。

世の中にはつねに変人が存在し、この補償金かせぎの手法発見に熱中する者も少数だがあった。しかし、その試みはいずれも失敗した。カードは偽造できず、装置はごまかせない。不正使用は不可能なのだ。

カードを落しても、それが悪用される心配はなくなった。カードは正当な所有者とともにでなければ、価値を示さない。拾ってどうこうしようなど、考える者はなくなった。

カードを落した者は、カード発行センターに行けば、確認の上で再発行してもらえる。カードの不正使用の方法はひとつしか残っていない。所有者に催眠術をかけ、うまくあやつって、なにかをやらせるという方法。しかし、めったにないことだし、装置やそのメーカーの責任ではない。

かくして、信用と実績とがつみ重ねられていった。世の人びとも、この装置になれていった。いうまでもなく、メーカーは、順調に利益をあげていった。利益のうちの何割かを研究費にまわし、カードと装置とをより完全なものにする改良もつづけた。だから、装置へ挑戦しようとする者は、いつも失敗した。損害への補償が支出されることはなかった。

装置のメーカーは創業十周年を迎えた。お祝いがなされ、社員たちには特別ボーナスが出され、装置を使用している企業関係者が招待された。だれもかれもにこにこ顔だった。

そのあと、重役と幹部たちだけの、豪華な二次会がもよおされた。大型ヨットをチャーターし、海上での祝宴という趣向だった。その席上、開発者である社長があいさつした。

「みなさんがよく仕事をしてくれるおかげで、きわめて順調にここまで来た。競争会社も出現せず、まさに独走態勢にあるといえる。これというのも、みなさんが企業の秘密を守るのに力をつくしてくれているからだ。この点に関しては、今後ともよろしくお願いする……」

社長が念を押すのも、もっともだった。ここが崩れたら、どうしようもなくなる。装置の根本的な部分については、特許登録により、法的な保護を受けている。その図面は、第三者が見ることもできる。

しかし、現実の装置は、その公表されていることのほかに、多くの企業秘密をふくんで製作されている。当然そうあるべきだろう。製法をなにもかも公表してしまったら、それを見て裏をかく作戦を考えるやつが必ずあらわれる。特許で法的な保護を受けているといっても、犯罪を意識してやるつもりの連中にかかっては、どうしようもない。そして、その損害の請求はこっちへ回ってくるのだ。

　装置を販売するのでなく、賃貸する形式をとっているのも、そのためだ。分解されて研究されるのを防がねばならない。分解しようとすると、極秘部分が自動的に小爆発するようになっている。

　問題は秘密が内部からもれる心配だが、その防止にも手が打たれていた。秘密は幹部にしか知らされていない。そして、幹部たちは、この高給の地位を失う覚悟で秘密を他にもらすわけがない。また、もらしたところで、すぐ他社から模造品が出るわけでもなかった。

　幹部はだれも、それぞれ秘密の一部分しか知っていないのだ。秘密の全部を知るには、幹部のすべてを買収して聞き出さねばならず、それはまあ不可能だった。全部を知っている者は、社長と副社長と専務の三人だけ。この最高責任者が社を裏切るわけはない。以上のようなわけで、秘密はたもたれ、犯罪者や産業スパイも、この装置に関してだけは攻めあぐんでいる形だった。

　社長はみなに言った。

「秘密の厳守と、たえざる改良。これさえおこたらなければ、わが社はさらに大きくなるだろう。よろしくお願いする」

乾杯となり、食事となった。ヨットの上で、なごやかな祝宴がはじまった。まったく、なにもかも順調だった。

しかし、不運は思わぬところに待ちかまえている。その時、予告もなしに大きな津波が押し寄せ、通り過ぎていった。そのため、ヨットはひっくりかえり、たちまち沈没した。救助信号を打つひまもなく、救命具をつける余裕もなく、しかも夜の海とくる。ほとんどの者が溺死《できし》した。

なんとか岸まで泳ぎつき、命の助かった者は、体力のある若い幹部の数名だけ。社長をはじめ重だった者たちは、みな海へ消えてしまった。


思いがけぬ異変だったが、その影響がすぐ世の中に及んだわけではなかった。装置の利用者たちのところには、それぞれ予備のが一台ずつある。また、メーカーの側も、残った者だけでなんとか製造をつづけてゆこうとの努力をしていた。

しかし、そのうち、その予備のほうにも故障があらわれてくる場合が発生した。カードを提示し、銀行から預金をおろそうとした男の客があった。

「まいどご利用いただきまして、ありがとうございます。どうぞ、装置にお手を……」

窓口の女に言われ、客はカードを出し、装置に手をおき「ああ」と言った。その時に故障が発生した。装置の横の、故障を示す赤ランプが点滅した。窓口の女は、それを見て言う。

「あら、申し訳ありませんが、お金をお渡しできませんわ」

「そんなこと言われては困るよ。なぜなのだ。わたしが別人だとでも言うのか」

「そうではございません。この装置が故障したのです。お客さまをご本人だと確認できなくなったのでございます」

「いずれにせよ、わたしは急いでいるのだ。早く金がいる。本人であることに、まちがいない。いまも、まいどご利用いただきと、言ったではないですか。つまり、わたしとみとめてのあいさつでしょう。いつも利用しているから、わたしの顔をおぼえたというわけでしょう」

「しかし、装置での確認がないと……」

「おいおい、しっかりしてくれよ。わたしの口座に金はあるわけだろう」

「はい、ございます」

「そして、ここに本人がいるのだ。わたしの顔は知っているでしょう」

「はい、じつは、その、見なれているような気もするのですが、絶対確実かとなると、自信がないのです。この完全に信頼できる装置が導入されて以来、それにたよりっきり。お客さまのお顔やお声をおぼえる必要が、まるでなくなりました。安心しきっているのです。ですから、まいどありがとうございますと、あいさつのサービスを機械的にくりかえしているだけなのでした」

「そういうものかもしれないが、わたしはなにしろ金がいるんだ。なんとかしてもらいたいね」

押し問答をしているうちに、支店長がやってきて判断を下した。

「わたくしの権限でお支払いすることにいたします。装置によらないことには、お客さまがはたしてご本人かどうか、わたくしにも自信はありません。しかし、これまでのことからみて、この装置をあざむこうとなさったかたはありません。すぐ発覚するからです。その点からみて、ご信用しても大丈夫と判断いたすわけです……」

お客が帰ったあと、支店長は言った。

「……いまの金額を控えておいてくれ。万一、いまのが本人でなかったら、装置によって損害をこうむったことになる。メーカーに請求しなければならない。装置の判定ちがいでなく故障だから、請求に応じてくれるかどうか不明だが……」

支店長は首をかしげる。

「……しかし、そんなことより、故障のほうが問題だ。事務がとどこおるし、お客さまに迷惑がかかる。正しく動く装置を早くとどけるよう、メーカーに電話してくれ。このところ、アフターサービスがよくないな。これまでは、予備のを使用しているうちに、つぎの予備のがとどいていた」

メーカーに電話がなされ、まもなく装置がとどけられた。メーカーにはストックが、まだいくらかあるのだった。

また、こんな場合もある。ある会社の入口においてある装置。出張から戻った社員が、身分を示すカードを入れて、事務所にむかおうとした。その時に故障がおこり、赤ランプがついた。守衛が社員をはばむ。

「あ、入ってはいけません。装置が故障し、あなたが本人かどうか確認できませんので……」

「おいおい、なに言ってんだ。ぼくを忘れたわけじゃあるまい」

「規則は規則です」

「じゃあ、ぼくの課のだれかを呼んできてくれ。営業第三課だ。だれかが証明してくれるだろう。ばかばかしいが……」

その課長、および三人ほどがやってきて、入口から入れないでいる社員を見る。社員は助けを求める。

「わたしだと証明して、入れて下さいよ」

「見たところは、たしかに本人のようだ。しかし、万一ということもある。産業スパイだということだってある。なにしろ、整形手術が進歩しているからな。本人そっくりに顔を変えることだって可能なのだ。だからこそ、この装置をそなえつけた。しかし、見れば見るほど、本人そっくりだな」

「冗談じゃありませんよ。その本人なんですよ。去年の社員旅行で、余興にわたしは手品をやり、課長は逆立ちをした。この出張へ出る前の晩には、バーでみんなで飲んだでしょう。そのわたしですよ」

「たしかにバーで飲んだ。しかし、その話が絶対的な証明にはならん。そんなことが当人である証明になるのなら、こんな装置は最初から不要なのだ。合言葉ですむ」

「いいかげんにして下さいよ……」

社員は泣きつく。課長は部下たちと相談し、結論を出す。

「入れてやることにしよう。これで損害が生じたら、メーカーが補償してくれるのだ。だれか、もし別人だった場合の、損害の計算をやっておいてくれ。請求の数字をはっきりさせなければならない。いずれにせよ、故障には困ったな。メーカーに電話し、早くとどけろとさいそくしてくれ。このところ巡回員がなまけているようだ。景気がよすぎて、いい気になってるのかな」

メーカーでは在庫を長もちさせるため、さいそくされてから運ぶという、時間かせぎをやっているのだ。

あるホテル内の式場で、結婚式が進行していた。立会人の前で、新郎新婦が書類を作成し、署名をする。ホテルにある装置が、そばに運ばれておいてあった。しかし、カードを入れかけると、赤ランプが点滅し、故障したことが示された。

進行係が立会人に聞く。

「こんな時に故障とは。どうしましょうか」

「わたしの立場は、署名するのを見ているだけですから、べつに責任はありません。わたしとしては装置による確認は省略してもいいと思いますがね。しかし、もしかしたら、このどちらかが本人でなく、その双生児がいれかわっているかもしれない。その断定はできません。かりにそうだったとしても、結婚は双方の合意で成立するのですから、新郎新婦が承知すれば、それでいいのです」

新郎新婦は顔をみあわせた。

「一年にわたる恋愛のすえ、やっときょうを迎えたわけですが、あらたまって、そう念を押されるとね……」

「あたしは、たしかにあたしなんだけど、相手が確実かどうかとなるとね……」

二人ともためらう。この装置とともに成長してきた年代なので、装置がないと不安におちいってしまう。ほかに確認の方法を知らないのだ。立会人が口を出す。

「では、装置のまともなのがとどくまで、署名をのばしましょう。万一の時に損害が請求できるとしても、結婚だけは金ではとりかえしがつきません。こんな大事な時に故障するとは……」

ホテルには、さいわいもう一台あった。まもなくそれが運ばれ、署名がすんだ。しかし、おかげで披露宴がいくらかおくれた。

また、こんな場合もあった。道ばたでひとりの老人が苦しんでいた。救急車がやってきて、近くの病院に収容した。その時、病院にそなえつけてある例の装置が故障した。しかし、いくらなんでも断わることもできない。手当てがなされたが、病状が急変し、死亡した。医師は大弱り。

「困りましたな。うめき声をあげている時なら、装置を使ってカードの本人かどうか確認できたのだが、もはや手おくれ。ひどい時に故障したものだ。死亡診断書をどう書いたものか。事故で即死なら、そう処理できるのだが、ここで息を引きとった。しかし、所持のカードの名の当人かとなると、全責任をおって断定は下せない。いちおう、遺族に来てもらうとしよう」

連絡によってやってきた遺族が言う。

「たしかに父に似ています。また、父には心臓病の傾向があった。しかし、装置の確認がなかったとなると、なんともいえませんな。わたしの気持ちにもなって下さいよ。これが父でなく、たまたまカードを拾った別人であってほしいとの期待で、断定したくないのですよ」

「でも、着ている服に見おぼえがあるとか、ほくろがどうとか、どこか見なれている点があるはずですが」

「装置の出現前ならいざしらず、服やほくろが、なんのきめてになります。確実なのは、カードと装置だけでしょう。そんな特徴などおぼえていませんよ。いや、おぼえていたりすると、かえってまちがいのもとです」

遺族も確認をしぶり、死体をカード発行センターに運び、やっとかたがつく。それにともない、葬式がかなりおくれた。

こんななかで、メーカーがなまけていたわけではない。在庫を少しずつ出しながら、なんとか解決しようと努力していた。故障のなかには、外に出ているコードの断線という、簡単になおせるものもあった。しかし、そんなのはごく少数だった。

ほとんどのは、どう修理したものか、見当がつかなかった。製造のほうもストップしたまま。重要部分の製法の秘密を知っている者は、大部分が死んでしまった。生き残った幹部は、断片的に一部分を知っているだけ。

なんとかなるだろうと、分解して調べようとした者もあったが、そのとたん小爆発がおこり、重要部分はあとかたもなくなる。秘密保持のしかけだ。生き残った幹部のひとりが、そのおぼえている知識を活用し、爆発をおこさずに装置のふたをとることに、やっと成功した。

しかし、そのさきは容易でない。どこがどうなっているのやら、よくわからない。特許申請にある設計図だけでは、どうしようもない。カードにも装置にも、指紋と声と血液型のほかに、もうひとつの要素が使われているらしい。偽造防止のためにだ。

それがなんなのか。各人特有の皮膚の電気の伝わり方なのか。指の骨のレントゲン透視なのか、静脈の位置か、いろいろな可能性が想像できる。

金庫をあけてみたが、製法の書類はなにもなかった。書類は秘密のもれるもと。幹部の頭のなかにしか記録はなかったのだ。

こうなると、はじめからやりなおす以外にない。研究室には実験データが残っている。どれが装置に採用されているのかは不明だが、データをもとに新型のを作れないことはなさそうだった。

もっとも、それにはしばらくの期間を要する。製品の在庫ももうない。メーカーはマスコミに広告をのせ、改良型の製造が軌道に乗るまで、一時的に休業すると宣言した。また、休業中は装置についての補償はできかねるとも。ほかにどうしようもないのだから、いたしかたない。

世の中のようすは、いささかおかしくなった。例をあげればきりがないが、たとえばこんな光景もある。町をぼんやりと歩いている人に、友人が声をかける。

「久しぶりだね。どうかしたのかい」

「あなたは友人のようですが、本当にそうなんでしょうか。わたしは、自分がだれなのか、本当に自分なのか、わからなくなっているのです」

「わからなくったって、いいじゃありませんか。やがて新しい装置が出回れば、もとへ戻りますよ」

「それまでが困るんです。じつは、妻がわたしを疑いはじめて、はたしてあなたが亭主なのかどうか、カードで確認しないと不安だ、新しい装置ができるまで家に入れないと言い出したのです」

「それはお気の毒。とまるところがないのなら、家へ来ませんか。はたして自分は自分なりや。その哲学的な問題を、酒でも飲みながら論じましょう。ずっととまっていてもいいんですよ」

「それはありがたい。しかし、家族のかたにご迷惑でしょう」

「いえ、かまいませんよ。わたしの家はいま、がらんとしているんです。装置が正常に戻るまでは信用できないと、ワイフを追い出してしまったのです」

## 疑念

三十歳ぐらいの男。スタイルも身だしなみも悪くなく、ととのった顔だちをしていた。そのうえ、うれいをふくんだ表情だった。

バーのカウンターの席で、ひとりで飲んでいる。店の女の子がそばへ来て話しかけようとするが、そのたびに男は、手を振ってものうげに追いかえす。ひとりでグラスを重ねているのだった。

それとなくバーテンダーが話しかけた。

「お静かにお飲みになっておいでですね」

「ああ」

「こんなことを申し上げてはなんですが、お客さまのようなかたは、ずいぶんと女性にもてるのではございませんか」

「ああ」

と男は否定しなかった。それなら、もっと陽気に飲めばいいのに。気を引き立たせようと思ってか、バーテンダーは言った。

「どんなぐあいにですか。よろしかったら、お聞かせ下さい」

「つきあっているうちに、女たちは、なんとかしてわたしと結婚したいような気分になるらしい」

男は、女たちと複数で呼んだ。そんな女が何人もいるらしかった。でまかせではないようだ。服装も上品で、育ちも悪くなく、経済的にも安定しているように見える。また、まじめな性格で、やさしさを感じさせる。この男と結婚したがる女が大ぜいいたとしても、ふしぎはない。

「うらやましいと思います。どのような女性たちですか、それは」

「いろいろさ」

グラスを口にしながら、男はあっさり言った。しかし、得意がるようすは、少しもなかった。

「で、奥さまはおいでになるのでしょう」

「大学を出て会社につとめ、二年ほどして結婚した。親のすすめるままにね」

「そうですか。大恋愛のあげくかと思いましたがね。おしいことをしたとは、お思いになりませんか」

「べつに思ったこともないね。気だてのいい女だったし」

男は過去形で話したが、バーテンダーは気がつかなかった。

「その一方、大いに浮気をなさったというわけですか」

「大いになんてことはないよ。むしろ、そんなことはしたくないほうだ。しかし、仕事上のつきあいもあるし、会合もあるし、女性とつきあう機会は、いやでもできてしまう」

「すると、もててしまうわけですね」

「ああ」

話の内容は、いやらしいほどきざだった。しかし、男の口調にも表情にも、そんなふうに感じさせるものは、まったくなかった。心のなかに、なにか大きな悩みごとをかかえこんでいる。そんな印象が、きざな感じを消しているのだった。

バーテンダーは、どう話題を進めたものか迷ったあげく、こう言った。

「奥さまは、そのことをかんづいておいでなのですか」

「さあ、知らなかったのじゃないかな」

そこでバーテンダーは、やっと気づいた。

「過去形でお話しになっておいでですね」

「ああ、死んでしまったのだ。交通事故にあってね。ひき逃げだった。加害者はわからずじまい」

「そうでしたか。そうとは知らず、さっきから、つまらぬことを申し上げてしまいました。お気の毒なことです。それで、ご気分が沈んでおいででしたのですね」

「いや、そんなことはない。二年ほど前のことだし、それに……」

「それ以来、ずっとおひとりなのですか」

「一年ほど前に、再婚したよ。男のひとりぐらしは、やはり不自然で不便だ」

と男は答え、バーテンダーは言った。

「二度目の奥さまをおもらいになる時は、苦労なさらなかったでしょうね。いっしょになりたがっている女性が、たくさんおいでだったのですから」

「ああ。結局、そのうちのひとりと結婚したわけだ。よさそうなのをえらんでね」

「けっこうでしたね。お客さまは、前の奥さまをなくされた悲しみを薄れさせることができ、いまの奥さまのほうは、幸福感にひたっておいでのわけでしょう」

「そういうことになるのだろうがね……」

なにかひっかかる語尾だった。

「そのうえ、なにをお悩みになることがあるのです。お聞かせ下さい。お話しになれば、少しはご気分も晴れましょう」

バーテンダーは言った。グラスを重ねた酔いのせいか、男は話しはじめた。

「再婚して、しばらくたったある日、ふと気がついた。それ以来、なんだかしっくりしない。前の妻の事故死のことだ。目撃者の話だと、運転していたのは、女性らしかったという。どこまで確実かはわからないがね」

これには、バーテンダーも話をあわせるのに困った。こうでも言うほかはない。

「そこまでお考えになるのは、よくないと思いますが」

「しかし、わたしの気持ちになってみてくれ。いまの妻が、前の妻を殺した加害者かもしれないという疑惑の生活……」

「いけません。はっきりけりをつけるよう努力なさるべきです。日常での会話などから、なんとか察しがつくはずです」

「そう簡単に言うがね、女というものは、自己をいつわる気になれば、もう、男の手にはおえないものだよ。まるでわからない。そうとも思えるし、ちがうと思えば、そうかなという気にもさせられる」

「それだったら、疑惑については忘れることです。いまの奥さまの無実を信じ、愛するようになさったらどうなのです。むずかしいかもしれませんが、ほかに方法がないではありませんか」

「たしかに、ほかにしようがない。その通りだ。そう努力し、このごろ、そういう心境になりかけてきた」

「ご立派です。敬服します。しかし、それでしたら、なぜ、まだ沈んだご気分で……」

「加害者がいまの妻でなく、ほかの女だったとするよ。問題はその場合だ。いまの妻が、いつ、どんな形で同じように事故にあって死ぬかも……」

# 常識

ひとりの青年があった。現代には珍しくというべきか、現代的というべきか、とにかく働きものだった。といって、会社づとめではなかった。小さな広告会社を経営していた。若いくせに、いや、若さのためか、新鮮な感覚にあふれた企画能力をみとめられ、けっこう順調に利益をあげ、注文もぞくぞくとあった。こうなると、いやおうなしに働いてしまうこととなる。

朝は早く起き、会社のあるビルに出かけ、あれこれ仕事を片づけてゆく。夜は夜で、得意先の人とのつきあいもある。帰宅は毎日のようにおそくなった。しかし、まだ独身なので、おそくなってもだれからも文句は出ない。青年はマンションのかなり広い一室をかりて住居としていたが、そこはもっぱら眠るだけの場所といえた。

ある朝、青年はベッドから出て、トイレに入ろうと、なにげなくドアをあけた。そして、そこに自分自身がいるのを見た。

「ややっ。これはなんということ。ぼくがもうひとりここにいるとは。まだ夢を見ているわけかな。きのう酒を飲みすぎたための、アルコールによる幻覚かな。頭がおかしくなる前兆だろうか。あるいは、時間のずれという事態が発生したのだろうか。未来か過去の自分が出現したとも考えられる……」

つぶやいていると、トイレのなかのもうひとりの自分が、そとへ出てきて言った。

「いろいろ並べたてましたな。しかし、どれもちがいます。わたしはあなたのドッペルゲンガーです」

「なるほど。もうひとりの自分が出現する現象のことを、そんなふうに呼ぶのだったな。しかし、それはただの命名だ。説明にはなっていない。なぜあらわれたのだ」

「あなたの潜在意識の具象化です」

「なんのことだ、それは」

「つまりですね、あなたは自己の欲望が非常に強い。ああいうこともやりたい、こういうこともやりたいと、心の片すみで思っている。しかし、その時間的余裕がない。発散できないそのエネルギーが、もうひとりの自分、すなわち、わたしをうみだしたのです」

「ふうん、そういうものかな……」

青年はドッペルゲンガーをながめ、それがはだかであるのに気づいて言った。

「……まあ、そんなかっこうではおかしい。はだかの自分を見てると妙な気分だ。下着を貸してやるから身につけろ。ぼくの使った下着では気持ちが悪いか」

「そんなこと、ありませんよ。わたしはあなたの分身なんです。あなたのものは、わたしのものでもあるわけです」

「よくわからんが、まあいい。生活になれるまで、ここにいていいぞ。つごうがいいや。ただで留守番をやとったようなものだ」

青年は仕事のため外出した。夜になって帰宅してみると、ドッペルゲンガーはいい気持ちそうに酔っぱらい、テレビをながめていた。青年は言う。

「あれあれ、ぼくの酒をだいぶ飲んだな。ずっと飲みつづけなのか」

「そういうことです。テレビを見ながらね。のんびりと一日をすごしました」

「のんびりもするだろうさ」

「あなたは毎日、休むひまもなく仕事をしている。たまには丸一日、酒を飲んでテレビを横になって見る生活でもやりたい。そう心のすみで思いつづけでした。そこで、あなたの分身であるわたしが、それをやってあげてるわけです。あなたも満足してしかるべしです。わたしがあなたの願望をはたしてあげているので、あなたは仕事に専念できるわけです」

「そういうものかね」

何日かがたったが、ドッペルゲンガーは消えなかった。酒を飲みながら横になってテレビを見ることで日をすごしている。

消えるどころか、もうひとり出現した。風呂《ふろ》へ入ろうとして浴室のドアをあけると、自分がお湯のなかにいる。部屋のほうをふりかえると、ドッペルゲンガーはほろ酔いでテレビを見ている。風呂場にあらわれたのは、ドッペルゲンガー二号とわかった。

「またもあらわれたな」

「はい。あなたの心の底の欲望は強すぎる。ひとりでは処理しきれないので、手助けのためにわたしが出現したというわけです」

「なんだかしらないが、出てきちゃったものは仕方ない。それなりの必然性があってのことなんだろう。目ざわりだからぶっ殺すといっても、自分そっくりの者にそんなまねはできない。そのへんから着る物を出して身につけろ」

青年は外出し、帰ってきて、ドッペルゲンガー二号に聞いた。

「ぼくの留守中、おまえはなにをしていたんだ。テレビ見物なら一人ですむはずだが」

「このマンションのなかに、若い未亡人がひとりで住んでいるでしょう。亭主の遺産で退屈そうに暮している。そこへ遊びに行き、いろいろと楽しいことをしてきました。あなたの心の底のそういう欲求を、わたしが代行して、解消してあげているわけです。それだけ、あなたも仕事に専念できるというわけです」

「しかし、あとで問題になっても困るよ」

「わかってます。わたしはあなたの分身なんですから、ごたごたやスキャンダルは困るという方針をこころえています。人妻だとか、旦那《だんな》のある二号さんだとか、そんなのの浮気の相手はしませんから安心して下さい。それにしても、あの未亡人はいいですな。ものわかりがいい。金めあての若い男を警戒していますが、そうでないことを説明したら、すっかりうちとけて……」

　ドッペルゲンガー二号は、あれこれくわしく説明した。また何日かたつと、こんどは三号が出現した。部屋がかなり広いため、収容しきれないということはなかった。

　青年が帰宅してみると、三号はうつろな目をして横たわっていた。

「おい、しっかりしろ。なにをしている」

　三号は答えず、一号がそばで、テレビをながめながら解説した。

「そいつは幻覚剤を飲んで、非現実の世界に遊んでいるんです。あなたの心にそれをやってみたい欲求があったのでしょう。電話で薬をとりよせ、それを飲んだわけです」

「代金はどうした」

「金庫のなかから出しました」

「よくあけられたな」

「それはできますよ。みなあなたの分身なんですから。番号ぐらい知ってます」

「しかし、幻覚剤なんか飲みやがって、中毒になったらどうするつもりなんだろう」

「それがあなたの欲求なんでしょう。幻覚剤を飲んでみたいが、中毒はこわい。それを代行しているのが、このドッペルゲンガー三号なのですよ。ですから、こいつのおかげで、あなたの心のその欲求が解消し、ますます仕事にうちこめるというわけです」

「そういうものかな……」

それでとどまらず、やがて四号が出現した。それは青年の留守中、ひまさえあれば体操をしている。青年の内心に、運動不足を気にするものがあったためだろう。四号があらわれてから、青年は運動をしなくてはいけないと思うことがなくなった。

つづいて五号があらわれた。それはおしゃれの欲求を持っていた。洋服屋に出かけ、最新流行の服をつぎつぎと買ってくる。青年は五号に聞いた。

「どういうつもりだ」

「にあうでしょう。いうまでもないことですが、あなたとからだつきは同じです。お出かけの時に、お気に召したのを着ていって下さい」

「こんな派手なもの、着られるか。銀行だの、得意先の人たちと会うんだぞ。こんなのを着てたら、信用を失うか、きらわれるか、ばかにされるかだ」

「そこですよ。あなたは内心で着たいと思っている。しかし、仕事の環境がそれを許さない。その欲求をわたしが代行しているというわけです。わたしが出現したからには、それについての不満は、あなたの心から消えてしまいます」

「ふうん……」

まもなく六号もあらわれた。青年は言う。

「ついに六人目か。ぼくそっくりなのがこうもそろうと、異様なものだな」

「ふえてくると、統制をとる必要が出てきます。酒だの幻覚剤だの洋服だの、あまり金を使いすぎるのはよくありません。そのことをお気にしてたでしょう。そのため、ドッペルゲンガー六号としてわたしがあらわれたのです。また、もっと大切な問題もある。あなたの犯罪への欲求を代行するドッペルゲンガーが出現したらことです。なにかやらかすのをとめなければならない。それらすべてについて、わたしが監督します。ご安心なさってお仕事におはげみ下さい」

「おかしなことになってきたな」

青年にも休日はある。外出せず部屋にいて見ていると、まことに妙な光景だった。朝っぱらから酒を飲んでテレビを見ているドッペルゲンガー一号。いそいそと未亡人のところへ出かけるやつ。体操をするやつ。そのほか、どれも自分そっくりなのが好きなことをやっている。

青年はしだいに不愉快になってきた。毎日、毎日、熱心に仕事をして利益をあげているが、このドッペルゲンガーどもが金を勝手に使い、このありさまだ。税務署はこいつらを扶養家族とみなしてはくれないだろう。こうなるとだ、ぼくの存在や人生の意義はどういうことになるのだ。面白くない。ばかばかしい……。

そのため、七号が出現した。青年は言う。

「また居候《いそうろう》がふえたな」

「ちがいますよ。あなたは、自分のかわりに働くやつが出現してもいいはずだと、心の底で強い不満を持った。で、わたしが出現したのです。きょうからは、わたしが仕事に出かけます」

「うまくゆくのかな」

「当り前ですよ。あなたの分身なんですから、仕事のすべてを知りつくしています。それに、仕事への欲求のために出現したのです。だから、疲れることなく、ひたすら仕事にはげみます」

「そうかい。それはすまないな。よろしくたのむ」

「すまながることは、ありませんよ。その目的で出現したのですから」

たしかにそうらしかった。ドッペルゲンガー七号が出かけ、帰宅するのを待って報告を聞くと、なかなかよくやっている。働く意欲だけの分身だから、雑念を持つことなく能率をあげている。もちろん、本人そっくりなのだから、関係者に別人と思われることもない。

こうこなくちゃいかん、と青年は思った。もっと早くこうすべきだった。彼はやりたいことをはじめた。旅行したり、ギャンブルをやったり、うまいものを食ったりした。酒、女、幻覚剤、運動、おしゃれなどは、他の分身たちがやっているせいか、本人にはその気がおこらない。

しかし、こう人数が多くなってくると、マンションのうわさになってくる。統制係のドッペルゲンガーもいるにはいるが、なにしろ数が多すぎるし、本人もまざっているのだ。あそこの部屋はおかしいということになる。

ある夕方、ドッペルゲンガー七号が仕事をすませて帰宅した時、医者がくっついてきて、いっしょに部屋に入った。医者はなかのようすを見て言う。

「や、やはりそうか。話に聞くドッペルゲンガー現象だ。しかも、その強力な症状だ。マンションの管理人からたのまれ、おばけがいるらしいからというので来てみたら、わたしの予想どおりだった。さいわい、治療の特効薬を用意してきた。なおしてあげますよ」

医者は七号に注射をした。薬のききめか、ほかの連中はうすれてゆく。本人の青年も同様。彼はあわてて呼びかける。

「まちがえないでくれ。本人はわたしだ。ぼくを消さないでくれ」

「おや、そうでしたか。しかし、もはや手おくれ。まあ、わたしをせめないで下さい。だって、冷静に見て、この人を残すのが常識というものでしょう」

# ナンバー・クラブ

会社から出張を命じられ、エヌ氏はある都市へやってきた。その一帯の市場調査が仕事だった。それは夕方までに終り、彼はホテルに戻った。つぎの日は、べつな都市へ行く予定だ。

食事をすませると、もはやなにもすることがない。部屋のテレビをつけてみたが、なんということのない番組ばかり。彼は顔をしかめ、スイッチを切った。

エヌ氏はフロントへおりてきて言う。

「ちょっと外出してくるよ。キイをあずけてゆく」

「どうぞ、ごゆっくりと夜の街でもお楽しみになっていらっしゃいませ」

「そんなとこで遊ぶつもりはない。ナンバー・クラブへ行きたいのだ。昼間、むこうの方角で看板をみかけたような気がするが、遠いのかい」

「そのナンバー・クラブでしたら、かなり距離があります。しかし、この近くにも一軒ございますよ」

「それでいいよ。ナンバー・クラブであればいいのだ。近くにあるとはありがたい。どう行けばいいんです」

「ここを出まして、右のほうへ五分ほどお歩きになれば、看板が出ていますから、すぐわかります」

「ありがとう。このホテルのなかにもナンバー・クラブを作ればいいのに」

「おっしゃる通りです。ただいま計画中ですので、近いうちにできますよ。もっと早く作るべきでした。お客さまへのサービスにもなることですから」

そんな会話をかわしたあと、エヌ氏はホテルを出て、そのナンバー・クラブへ行った。厚い木の板でできたドアをあけ、なかへ入る。いつものことだが、この瞬間、彼の胸は期待で高鳴る。

そとの騒音は、この内部までは入ってこない。床にはじゅうたんが敷かれていて、足音もたたない。ここは静かに会話を楽しむところなのだ。

テーブルがあり、椅子《いす》がある。エヌ氏はそれに腰かけ、ボーイに酒を注文した。あたりを見まわすと、ほかにお客はひとりもいない。

「いやにすいているな」

「いまごろの時間は、いつもちょっと人数がへります。さきほどまでは三人ほどおいででしたが、意気投合してお出かけになってしまいました。ちょっとお待ち下さい。まもなく、どなたかおみえになりますよ」

運ばれてきたグラス一杯の酒をゆっくりと飲んでいると、ドアからお客が入ってきた。エヌ氏とほぼ同年輩、すなわち四十歳ぐらいの男だった。その男は、エヌ氏にむかって片手をあげて笑いかけた。

「やあ……」

「やあ。どうぞこちらへ……」

エヌ氏はそばの椅子を指さしてすすめ、そして聞く。

「……酒をやっていますが、いいですか」

「どうぞ、どうぞ。わたしも酒が好きですよ。ひとりで飲むのは好みませんがね。会話をつまみに飲まなくちゃあ。あなたは、ここのかたですか」

「いえ、出張ですよ。そこのホテルにとまっているのですが、夜の時間を持てあましてね、ここへ来たのです。あなたは……」

「わたしはこの近くに住んでいます。商店を経営しています。店がおわって帰宅する前に、ナンバー・クラブに寄るのが習慣となってしまいましてね」

と相手は言った。もちろん二人は顔みしりの仲ではなかったが、親しみにあふれた

NUMBER
CLUB

る。

口調だった。これからまもなく、友情が深まるにきまっているのだ。酒が運ばれてく
「おたがいの友情のために」

二人は言い、乾杯しあった。それから、エヌ氏が言う。

「では、おさきに……」

ポケットからナンバー・クラブの会員証を出し、テーブルの上の小さな装置に押しこむ。それから、装置の上に並んでいる番号ボタンに指を当て、記憶している自分のナンバーを順に押す。このナンバーは、会員証には記入してない。紛失への対策のためだ。落したところで、他人に悪用される心配はない。

「では、わたしも……」

相手も同様のことをやった。三十秒ほどの時間がたつ。装置はカチカチと音をたてはじめ、細長いテープに字を打ち出し、そして、とまった。二人はそれをのぞきこむ。

〈ギリシャ旅行〉

と書かれていた。エヌ氏はうなずき、相手の顔をみつめながら言う。

「おや、あなたもギリシャにいらっしゃったのですか。いつおいでになりました。わたしは二カ月ほど前です」

「わたしは、三カ月前になりますかな。商店主たちの会で、金を積立て、それでヨーロッパ観光旅行をしてきたのです」

「わたしはですね、会社の営業の仕事で、アフリカへ旅行した帰りに、休養をかねてギリシャへ寄ったというわけです。いいところでしたねえ」

エヌ氏は思い出をなつかしむように言った。相手にしても同じことだった。

「アクロポリスの丘には、もちろんおいでになられたでしょうね。みごとなものでしたね。それから、アテネの街には、もうひとつ高い丘がありましたね。なんというとこだったたか……」

「リカベトスとかいいましたよ。頂上に教会があって、そこから海がよく見えましたね……」

かくして、二人は話に夢中になってゆく。

机の上のこの装置は、中央コンピューターセンターに有線でつながっているのだ。そこには、エヌ氏の過去の記録がすべて、テープにおさまっている。いま自分の番号をたたいたことで、それがよびさまされた。相手の男のも、またそうなった。

中央コンピューターセンターは、二人の記録を電子作用で自動的にすばやく対照し、その共通したいくつかの事項のうち、最も新しい部分を、文字に打って知らせてくれたのだ。

むかしだったら、初対面の人とのあいだに共通の話題をみつけるにはかなりの努力を必要としたし、時間だってかかった。しかし、この科学の成果は、それをあっというまにやってくれる。

「ギリシャ料理には、羊の肉が使われてますな。あの味は、人によって好きずきでしょうね。しかし、酒は問題なしにいいですね。値段も安いし……」

「そう、あのブランデー、あれはうまかった。なんという名でしたかな。このクラブにはおいてないかな。聞いてみましょう」

それに応じ、ボーイがブランデーのびんを持ってきた。エヌ氏はラベルを読んで言う。

「そう。これこれ、メタクサという名でしたよ。口あたりのいいブランデーです。いっしょに飲んで、ギリシャをしのびましょう」

「また行きたいものですなあ。海のながめもいいし、空の色はもっとよかった……」

話ははずむ一方だった。

それを楽しみながら、エヌ氏は思う。各人の経歴をセンターに登録し、番号によっていつでも取り出せるという、このしくみ。これは政府によって強制されたものではなく、任意なのだ。いやな人は加入しなくていい。

そのサービスセンターができた時、エヌ氏はあまり魅力を感じなかった。プライバシーをおかされることへの不安もあった。しかし、世の中には加入する人もあった。忘れっぽい人にとっては、便利なものといえた。いつ、だれと会ったか、どこへ行ったか、そんなこともこのセンターに登録しておけば、すぐ質問に答えてくれるのだ。何月何日にはどこへ行ったか、どこそこへ行ったのはいつだったか。どんな形の質問をしても、すぐ思い出させてくれるのだ。

そのうち、センターがこの話題発見サービスを、会員の賛成をえて開始した。それを利用した人たちの評判がよく、会員が急にふえはじめた。エヌ氏もまた、ひとにすすめられて加入したというわけだった。

過去の全経歴を登録するのは、大変な作業だろうと想像していたが、それは意外に簡単だった。センターには専門家がそろっている。ある種の薬を飲ませ、催眠に似た状態にし、手ぎわよく順次に過去の記録をたぐり出してゆく。それは整理され、テープに記録されるのだ。

ついでに内部を見学させてもらったが、秘密が他人にもれるおそれはなかった。そんな可能性があるとしたら、だれも加入するはずがない。

なお、この会員の資格は、三十五歳以上となっている。あまりとしが若いと、記録すべき社会体験が少なく、他人との話題の共通する部分の割合が低く、利用価値がそんなにないからだ。

入会したあとは、ひと月ごとに新しい経験を電話で送り、つけたしてゆく。くわしく記録したければ、一週間ごとでもいい。これはちょっとした手間だが、利用する時の楽しみを考えれば、なんということもない。

「まったく愉快なひとときですなあ」

と相手が言った。エヌ氏だってそうだ。

「ほんとですよ。このナンバー制度を拒否して入会したがらない人がいるようですが、どういうつもりなんでしょうな。プライバシーがどうのこうのと言う人がいるが、それを秘密にしつづけ、としをとり、死んでしまうなんて、意味のない人生です」

「プライバシーだって、情報の集積、一種の財産ですよね。それを有効に使わないという法はない。使ってこそ財産としての価値が出てくる。このナンバー制がなかったら、あなたとわたしも、ただ顔をみあわすだけで終りです。ゆきずりの他人にすぎず、こうまで親しくはなれなかった」

「まったく、ナンバー制とこの装置のおかげで、わたしたちはここで過去を共有できた。人生がそれだけさびしくなくなる」

「乾杯しましょう。ナンバー制のために、二人の友情のために、ギリシャの思い出のために……」

ブランデーをつぎあい、二人は飲み、話し、笑いあう。

そこへ、またお客が入ってきた。中年の婦人だった。なかを見まわし、あいている話し相手がいないので、帰ろうかどうしようかとためらっている。エヌ氏が声をかけた。

「よろしかったら、ここへいらっしゃいませんか」

「でも、お酒を飲んで話がはずんでいらっしゃるようですし、おじゃましては悪いみたいで……」

「わたしたちはかまいませんよ。装置が話題をみつけてくれるはずです」

「じゃあ、ちょっと仲間に入れさせていただくわ」

彼女はそばの椅子にかけ、装置に会員証のカードを入れ、自分の番号をたたいた。

金属音とともに字が出てきた。

〈江戸時代のガラス器〉

それを読んで婦人が言った。

「あら、あなたがたも、これに趣味がおありでしたの」

エヌ氏が言う。

「ギヤマン、ビードロの同好の士に、こんなところでお会いできるとは。偶然ですなあ。古いガラス器の代表的なのには、江戸製のと薩摩《さつま》製のがありますが、わたしは薩摩のが好きですな。厚手のガラスに、独特なカットをほどこした感じが、なんともいえませんな」

うなずきながら、商店主の男が言う。

「いつだったか骨董《こっとう》屋で、薩摩ガラスの茶碗《ちゃわん》の五つそろったのをみつけましてねえ、その場でさっと買ってしまいましたよ。薄いブルーの色がついていましてね。この感激をわかっていただけるのは、あなたがたぐらいなものでしょう。うちの家内はそんな趣味がなく、くだらないものをまた買ってきたのねと……」

趣味の一致で話が進展しかけたが、その時、婦人がくやしそうな声を出した。

「あら、あれをお買いになったの、あなたでしたの。あたし、店に並べてあるのを見て、お金を用意して出かけたら、少し前に売れてしまったとか。残念でならなかったわ。あれ、あたしが先に見つけたんですわ。それを買ってしまうなんて、ずるい……」

文句を言いはじめた。センターは、口論のたねになりそうな共通話題は指示しないはずなのだが、情報不足だったのだろう。婦人がそれを買いそこなったくやしさを、あるいは商店主がそれを買ったとくいさを、センターの記録に送らなかったためにちがいない。双方がそれをやっていたら、センターのコンピューターが押え、こんなことは発生しなかったはずだ。

「まあまあ、このクラブで感情的になってはいけませんよ。楽しくなくなります。話題を変えましょう」

エヌ氏は、テーブルの上の装置のボタンを押した。べつな共通話題を指示してもらいたいというさいそく。またも字が出てきた。

〈坂道のバスであぶなかったこと〉

それをのぞきこんだ商店主が言う。

「なんのことだろう。あのことかな。いつか、観光地でバスに乗った。その時、運転手が急性の貧血かなにかで不意に気を失った。バスは走りつづけ。わたしは、そのそばの席にいましてねえ。ようすがおかしいと気づいて、飛びついてブレーキをかけた。もう少しで、坂道をつっぱしってなにかにぶつかるとこでしたが……」

それを聞き、エヌ氏はひざをたたいて言う。

「あ、あの時のかたでしたか。わたしも、あのバスに乗っていた。大変なスリルでした。あらためてお礼を言います」

中年の婦人も言う。

「あたしも乗ってましたわ。一生忘れられない事件でしょうね。あの時、バスのブレーキをかけていただけなかったら、死んでいたわけですわね。命の恩人に、ここでお会いできたとは。お酒をおごらせていただきますわ。江戸時代のガラス器がどうのこうのと言っていられるのも、生きていればこそですわね」

口論になりかねなかったさっきの気分は一変した。婦人はあの時のことを、あらためて思い出したのだろう。しばらく恐怖でふるえ、いっしょにお酒を飲み、だんだんうれしくなり、笑いながらしきりに感謝の言葉をくりかえした。エヌ氏も商店主に言う。

「あなたがブレーキのかけ方を知っていてくれたので、助かったというわけですな」

「ええ、商品を運ぶためのトラックを動かしていますのでね。しかし、もしわたしにその心得がなかったら……」

「きゃあ、そのことを考えたら……」

婦人は大げさに悲鳴をあげた。話がひとしきりはずみ、やがてエヌ氏は腰をあげながら言う。

「わたしは、そろそろホテルへ帰ることにします。本当に楽しかった。うずもれていた過去のつながりをたしかめあえた。おたがい、生きていてよかったという気分ですね。おかげさまで、今夜は気持ちよくすごせました」

「お礼なら、この装置にむかって言うべきかもしれませんね」

と商店主が言うのに笑いをかえし、エヌ氏は席を立って金を払った。このクラブは盛り場のバーとちがって、女性サービスなどいらないのだ。そのたぐいの女性がいなくても、いや、いないほうがかえって会話を楽しめるのだ。そのチップが不要なのだから、クラブ利用費は高いものではない。

この時刻になると、お客はかなりふえていた。みな話に夢中になっている。

ナンバー・クラブを出て少し歩くと、エヌ氏は声をかけられた。ふりむいてみると、学生時代の友人がいた。その友人は、エヌ氏の親類に当る女と結婚している。エヌ氏は言う。

「こんなとこで会うとはなあ。ぼくは出張で来たのだよ」

「ぼくも仕事でやってきた。会うのは半年ぶりぐらいかな。一杯やるか」

「いいね。ぼくはいま出てきたとこだが、またナンバー・クラブにもどるとするか」

「いや、ぼくは会員じゃない。そのへんのバーに入ろう」

　友人に案内され、エヌ氏はべつなバーに入った。エヌ氏はあいさつする。

「元気かね。仕事はどうだい」

「相変らずといったところだ。いそがしさのうちに、毎日がすぎてゆく。そっちはどうだい」

「まあまあだな。いつか会った時に話したようなものだよ。で、奥さんは元気かい」

　とエヌ氏は、親類の女について聞く。

「おかげさまでね。子供が中学に入った」

「そうだってね。いつか手紙で知らせてもらったな」

　それで話題がつきてしまった。学友たちのことは、会うたびに話しているし、とくに変ったこともない。エヌ氏は言ってみる。

「このあいだギリシャに行ったよ」

「ふうん。ぼくは行ったことないな」

　話題は発展しなかった。エヌ氏はナンバー・クラブのさっきの連中がなつかしかった。話題が新鮮であり、驚きがあり、すべてが刺激的だった。

「きみもナンバー・クラブに加入したらどうだい」

「いやだよ。ぼくはプライバシーを大切にしたいんだ。これこそ自分だけのもの。これを他人にまかせたら、自分が自分であることを失ってしまうのじゃないかな」

「そう悪いとも思えないがなあ」

「いけないよ。そういう考え方がいけないんだ。ずるずるといつのまにか自分を失い、気がついてみたら、どうしようもなくなっている」

「どう悪くなるというんだね」

「はっきりはわからないが、いいことではないような気がするんだ」

友人との話は、かみあわなかった。エヌ氏は思う。こいつは自分の学生時代からの友人であり、しかも親類の女と結婚している。だから、親しい仲のはずだ。それなのに、いっこう話がはずまないばかりか、議論になってしまう。どういうことなのだ。

彼もナンバー・クラブに入ればいいのに。そうなっていれば、新しい話題がなにか出てくるはずだ。どこかの旅行先で、おたがいに気づかぬまま、すれちがっていたかもしれない。そのことをいっしょに残念がれるのに。

あるいは、同じ株を同じころに買い、同じようにもうけたかもしれない。それがわかれば、そうだったのかと手をにぎりあえるのに。

しかし、それができないのだ。ナンバーのないやつと共通話題をみつけようとしても、それは一晩かかってもできないだろう。努力すればできないことはないだろうが、疲れることだし、それが最良の話題とは限らないのだ。ナンバー制をけぎらいするやつは、かわいそうなものだ。プライバシーにこだわって、人生をつまらなくすごしている。

「じゃあ、まあ、元気でな」

エヌ氏はあいさつをし、バーを出て別れた。ホテルへむかう。しかし、途中でふりかえり、友人がいなくなったのをたしかめ、彼はまたナンバー・クラブへもどる。ドアをあけて入り、ボーイに言う。

「また、もどってきたよ。ねる前にいい気分になりたいんでね」

店のなかのお客は、さっきよりふえていた。みな、楽しげに話しあっている。エヌ氏はそのなかのひとりに声をかける。だれでもいいのだ。ナンバーと装置さえあれば、だれとでもすぐ親友になれる。

「どうぞよろしく。楽しくやりましょう」

会員証を入れ、ナンバーを押す。その指は禁断症状がおこりかけているかのように、ふるえている。しかし、そのふるえはすぐにおさまる。三十秒たてば、そばにいる初対面の百年の知己と、新鮮で意外な、驚きにみちた、なつかしい話をとめどなくかわしあうことができるのだから。

# 若がえり

ある金持ちの老人のところに、セールスマンらしい男がやってきた。老人は言う。

「わしは、むだなことに金を使わない主義なのだ。なにも買わんよ。もっとも、あるものだけはべつだが……」

「それはなんでございますか」

「若さだ。若さをとりもどせるのなら、金は惜しまない。まあ、むりな話だろうがね」

「いえいえ、じつは、その薬を……」

と男が言うと、老人は身を乗り出した。

「まさか。信じられない」

「ご存知ないのも当然です。世の中に知られてごらんなさい。だれもかれも飲みたがる。結果として、どうなります。若い者ばかりになる。秩序がめちゃめちゃになる。それにたちまち人口爆発……」

「そういうことになりかねないな」

「ですから、開発されたことも、製品化されたことも秘密。口のかたいかただけに、ひそかにお売りしているのです」

男は声をひそめた。老人は目を輝かす。

「必ず約束はまもる。ぜひ売ってくれ」

「そのためにうかがったのです。しかし、さっきお話ししたように、大量生産、大量販売ができないので、原価が高いものにつきます。そのおつもりで」

「わかっているよ。言い値で買う。しかし、効果はあるのだろうな」

「お約束します。きかなかったら、代金はおかえしします。いいかげんなものでしたら、すでに詐欺《さぎ》で訴えられ、問題になっているはずです。しかし、そんな苦情はひとつも出ていません」

「どうやら確実なようだな」

「参考のために、お話しいただけませんか。なぜそのように、若さをとりもどしたいのかを」

男に質問され、老人は話しはじめた。

「わしは、財産家の子だった」

「幸運でしたね。それ以来、今日までずっと順調に……」

「そうではないのだ。二十歳の時だったかな。きびしかった父が死んで、すべての財産をわしが相続した。金が自由になったとたん、わしは道楽をはじめた。女遊びをやり、酒を飲み、勝手きわまる生活をはじめた」

「けっこうでしたね。もうけるばかりでなく、遊びにも使ってこそ、金の価値があるのですから」

「いや、もうけようとしたのだが、こっちのほうはうまくいかなかった。もっとも、ギャンブルでだがね。これが失敗のもと。今度こそもうける、今度こそとやっているうちに、たちまちなにもかも失ってしまった。残ったのは借金ばかり」

「それはそれは……」

「そうなって、わしははじめて反省した。これではいかんとね。生れかわったように働きはじめた。下づみの生活から出なおしたのだ。酒をやめ、遊ばず、朝から夜まで、働きつづけ。汗にまみれて努力した」

「敬服いたします」

「それ以来、ずっとその連続だった。やがて借金もかえし、財産もふえてきた。そして、気がついてみると老人になっていたというわけだ。わしが若さをとりもどしたい気分を、わかってもらえるだろうか」

「わかりますよ。さあ、これがその薬です。どうぞ、お飲み下さい」

男は金を受取る。老人は薬を飲んだ。

「すぐきくのかね」

「驚異的ですよ。お眠りになれば、あすの朝には、二十歳のあなたにもどっています」

薬はみごとに効果を発揮した。翌朝、老人は完全に二十歳にもどっていた。彼は自分にかなりの財産があるのを知り、酒、女、ギャンブルにおぼれ、たちまちのうちになにもかも使いはたしてしまった。

# 大転換

わが国にむけて、某国がミサイルを発射した。国交断絶、宣戦布告という正式な順序をふんだ上での攻撃ではなかった。ノイローゼぎみの司令官が、勝手に装置を動かし、ボタンを押してしまったのだ。ああいう危険性を秘めた国は、いまのうちにたたいてしまったほうがいい。それが世界のためであり、自分のなすべきことだ。そんな考えが高まった結果だった。

その国の元首は事態を知って、ただちに緊急電話をわが国に入れた。

「……というしだいだ。犯人の司令官はすぐ射殺したが、まことに申し訳ない。どんなつぐないでもします」

「あやまるひまがあるなら、ミサイルの方向を変えるとか、なにか手を打って下さいよ。いったい、どんな弾頭がついているのです」

「方向変更装置がついていないので、どうしようもないのだ。弾頭は開発されたばかりの、強力きわまるものだ。あまり強力すぎるため、実験のしようがなかったというしろものだ。だから、いかなる惨事になるかは不明だが、これ一発で貴国の人口の全部が死ぬことだけは確実だ」

「冗談じゃありませんよ。みんな死んだあとで、どんなつぐないをしてくれるというのです。そちらの国民が、そろって自殺してくれるとでもいうのですか」

「それはできない。黄金製の大ピラミッドをたて、永久に儀式をつづけ、あなたがたの魂のやすらぎを祈ってあげます。そのほか、どんな希望にも応じます。すべて当方の責任です。弾頭の極秘設計図は焼きすてました。だから、二度とこんなことは起らないでしょう」

「なにもかも手おくれ、本当に全滅が確実なようだな。で、いったい、ミサイルがこっちで爆発するまで、あとどれくらいあるんです」

「二時間。そちらの時刻で午後の二時。途中でうち落すことは不可能なのだ。こんな新兵器を作ってしまい、心から後悔している。われわれを許して下さい」

「いまさら、そんなこと言ったって……」

　どんな言葉であやまられても、どっちみちだめらしかった。このニュースは、テレビやラジオ、あらゆる媒体で流された。政府がすぐ発表してしまったのだ。政府の責任ではないのだし、こうなったら各人が好きなようにしろといったところ。

「ひどい悪ふざけだな。なまじっかな刺激ではだれもさわがなくなったので、こんな番組を作ったにちがいない。それとも、テレビ局が変な一団に占拠されたのだろうか」

最初のうちは、こんなふうに笑い声もまざる反応だった。しかし、どの局へチャンネルをまわしても同じであり、アナウンサーの声と表情は深刻そのものだった。いつもだと学者が出演し、もっともらしい解説をするところだが、今回は宗教関係者が交代であらわれ、来世のことをのべ、霊魂の不滅を話し、あるいは祈り、経文をとなえたりした。

「どうやら、事実らしいぞ」

みながやっと信用し、青ざめたのは、ミサイル到達予定時刻の三十分前だった。たちまち大混乱といいたいところだが、それほどではなかった。三十分でなにができる。逃げたりかくれたりしようにも、行く場所もなければ、かくれてもむだらしいのだ。ジェット機での脱出など、こうなってからではまにあわない。

たとえば、会社に出勤していた者。自宅にかけもどって家族とともに死にたいと思っても、もはや時間がない。第一、足がふるえ、動くこともできなかった。この世の思い出になにか食事を、といった考えも浮ばない。こんな場合、食欲なんかわいてこ

ない。性欲だって同じこと。物欲を発揮したって、もちろん意味がない。気にくわぬやつをなぐる気にもならなかった。まもなく死ぬ人をなぐって、どうなるというのだ。遺書を残す気にもならない。みなが死にたえるのだから、そんなものはいらないのだ。水を飲むかタバコを吸うか、だれもそんなことぐらいしかしなかった。

「なにもかも終りだ。こんなことが、あっていいのか。ああ、死にたくない」

もはや、あと五分ぐらいしかない。みな、口のなかで「死にたくない」と、つぶやくだけ。つぶやかない者だって、内心では同じことを念じている。

あと一分。

「いやだ、生きていたい。死にたくない」

静かななかで、その祈りだけが高まる。あと三十秒。十秒。五、四、三、二、一。

上空で黄色い強烈な光がきらめいた。空ぜんたいが黄色く輝いた……。

「やられた」

だれかが言った。べつなところでも声。

「もうだめだ」

おそるおそる目をあけてみる。まばたきをし、目をこすり、あたりの光景を自分に信じこませ、それから大声で叫んだ者があった。

「おい、みんな。しっかりしろ。われわれは、もとのままだぞ。元気を出せ、死んではいないのだ」

それにつられ、それぞれ目をあけ、立ちあがって見まわす。たちまち喜びの声がわきあがった。

「本当だ。ぶじだったぞ」

「きっと、奇跡がおこって、ミサイルが不発だったのね。うれしい。もし命が助かったら、思いきり人生を楽しみたい、神さま、お願いしますと祈ったけど、それがかなえられたのね」

どのビルのなかでも、同じことだった。抱きあい、肩をたたきあい、なかにはキスをする者もあった。当然のことだろう。

しかし、テレビの画面は爆発の時から空白だった。局の連中も喜びあっていて、放送どころではないのだろう。電話も鳴らなかった。ビジネスどころではないのだろう。

会社では幹部が部下たちに言っている。

「きょうは、これ以上、仕事をする気にはなれないだろう。みな帰っていいぞ。形容のしようもないこの精神的な疲れを、各人、好きなようにいやしてくれ。では……」

歓声があがった。助かったことが、まだ信じられないような感じだった。なにかをやって、生存していることをたしかめなければ。

「どうだ。祝杯でもあげに行くか。こんな時こそ、大いに飲まなくては……」

「そうだな。しかし、なんだか、あまり酒を飲みたいという気にならない。なぜだろう。そういえば、ぼくは昼食がまだだった」

「食うのもいいな、と言いたいところだが、食欲がない。あまりに緊張が強く長かったせいだろうか」

だれかが女の同僚に言っている。

「さっきは、思わずキスをしてしまった。ごめん。もう一回してもいいかい」

「いいわよと言いたいとこだけど、そんな気が起らないの。ふしぎねえ。祈っている時には、助かったら男の人と、じゃんじゃん遊びまわろうと思ってたのに。あなたは……」

「じつは、ぼくもだ。どういうことなんだろう。のどがからからになってていいはずなのに、水を飲みたいとも思わない。タバコを吸いたいとも……」

おたがい、各所で顔をみあわせ、首をかしげている。やがて、こんな発言があった。

「だんだんわかってきた。これは、喜んでいる場合じゃないぞ。ミサイルは不発でなく正確に爆発し、効果をあげたのだ。特殊な放射線があびせかけられた。そのため、われわれからそういう欲望が奪われたのだ。これが恐るべき新爆弾の作用にちがいない」

「そうかもしれない。となると、こんな残酷なことはないぞ。食欲や性欲を麻痺《まひ》させられてしまったことになる。われわれは食事をしないまま、やせおとろえてゆく。子孫も残せない。じわじわと滅亡してゆくのだ」

「いやよ、そんなの。爆発で一瞬のうちに死んでたほうが、まだよかったわ……」

ひとりの女が発作的に窓にかけより、そこから身を投げた。とめるひまもなかったし、なぜかとめる気にもならなかった。気の毒にという念もわいてこない。そのことに気づいた男が言った。

「友人の死にも、悲しみを感じない。その感情も消されてしまったようだ。下等動物にされてしまったのだ。歴史上、こんなむごたらしい兵器はなかった。科学の進歩は、とうとう、こうも気ちがいじみたものを作りあげてしまった……」

そんなことを話しあっていると、さっき窓から飛びおりた女が帰ってきた。

「どうしたんだい。死んだとばかり……」

「それがね、変なのよ。なかなか地面にぶつからない。気のせいで時間が長く感じられるのかとも思ったけど、事実なの。ふわりと道におりられたわ。からだがすごく軽くなったみたい。やってごらんなさいよ……」

「しかし、まさか……」

半信半疑で飛びあがってみると、たしかに体重の軽くなっていることがわかった。簡単に天井にさわれるのだ。そのうち、だれかが叫び声をあげた。

「だめだ。うちへ電話しようとしたが、ダイヤルが回せない。指に力が入らないのだ」

「ぼくもだ。手帳をめくろうとしても、それができない」

ひとしきり、だれもがそれについてさわぎたてた。それから沈黙。

「これは、ただごとではない」

その発言のあと、また、ぞっとするような沈黙。

「これは、もしかすると……」

そのさきは、だれにも直感でわかった。

「……われわれは、あの爆発で死んでしまったのだ。ほかに考えようがあるか」

「ぼくもそう思う。あの新爆弾は、未知の強烈な放射能をまきちらしたのだろう。それによって、われわれは殺された。しかし、爆発の瞬間、みな死にたくないと念じていた。その精神の集中と、放射線の作用によって、予想もしなかった現象がおこって……」

「つまり、あたしたちは、みんな幽霊になってしまったということね」


まさしく、その仮説の通りだった。

ミサイルの発射国は、ただちに謝罪使節と調査団とを、わが国によこした。彼らはさまざまな調査や検討を重ねたうえで、わが国の代表者に言った。

「このような結果になろうとは、思ってもみませんでした。みなさんが生きながら幽霊になってしまったとは……」

「生きながらか、死んでからか、どっちでしょうかね。それはそうと、あなたがたにわたしたちが見えるのですか」

「見えますとも。ご健在でけっこうでした。ほっとしました」

「なに言ってるんです。われわれを全滅させ、幽霊にしていて……」

「そうでした。心からおわびします。お約束どおり、いかなるつぐないでもいたします。ご遠慮なく要求をおっしゃって下さい」

「その件については、いずれ世論をまとめた上で回答します。なまじっかなことではすみませんよ。覚悟していて下さい。まず、とりあえず、テレビ局の運営をやって下さい。われわれには操作できないのです。どんな番組を作れとの指示は出せますが……」

「おおせの通りにいたします」

相手はひらあやまり。その点に関してだけは、ちょっといい気分だった。

かくして全国民が幽霊となってしまい、社会のようすが一変した。以前の、普通の肉体の持ち主だったころとは、すべてがちがうのだ。

そもそも、食事をしなくていいのだ。食わないと死ぬのではないかとの心配もあったが、そうでないことがわかってきた。自然界に存在するエネルギーを直接とりいれる能力がそなわったらしく、動きまわっても疲れない。体重がきわめて軽くなったことも関係しているようだ。食事不要というのは、文字どおりあじけないことであったが。

まもなく判明したことは、死亡者が出なくなった現象だ。幽霊になったからには、もはや死ぬわけがない。車にはねられても、なんともない。火をかぶっても平気だった。衣服もろとも幽霊となってしまったらしかった。むかしから、はだかの幽霊など聞いたことがない。衣服も同時に幽霊になるという原則が、あらためて確認された。

賠償のためにやってきた人員により、交通機関が動かされた。それに乗って会社に出勤していたが、やがて気がつく。

「むかしの習慣で会社に来ているが、考えてみると、なんのためかわからないぞ。金をためたってしようがないのだ」

「まったくだ。食欲もなければ、性欲もない。金の使いようがないわけだ。健康や老後の心配もない。昇進したって、意味がない。うちでテレビでも見ていたほうがいい」

「そうだな。だが、そればかりじゃ退屈だろう。そのうち遊びに行くよ。雑談でもしよう」

「まあ、のんびりとやろう。これ以上、としをとることもないらしいしな」

というわけで、生産や販売のあらゆる産業がストップした。物品不要の生活なのだ。公害はみるみるへっていった。もっとも、公害が残っていたところで、幽霊になってしまった者たちには、なんら恐るべきものでなかったが。

だれも学校へ行かなくなった。なにを学びに行けというのだ。なんのために学べというのだ。あせらなくたって、だんだん知識は身についてゆくだろう。学歴なんか意味のない世の中になってしまっている。

若い者たちが、街をうろつきだした。しかし非行だの犯罪だのには発展しなかった。殺されたり傷つけられたりといったことは、起りようがないのだ。やってみてわかったことだが、幽霊には人を殺したり傷つけたりすることができなかった。

タバコも酒も飲めず、麻薬だって吸えない。性犯罪もない。盗もうとしても、手で持つことはできなかった。彼らは、音楽を聞いておどるぐらいだった。

反体制などというやっかいな問題も、まったくなくなった。そもそも、こんなぐあいの幽霊の社会になって、体制なんてものが存在しなくなったのだ。支配だの、権力だの、税金だの、反抗だの、かつての俗世間的なものは、意味をなさなくなった。

賠償の話は、いっこうに進まない。なにを要求したものか、意見がまとまらないのだ。金なんかもらっても、しようがない。交通機関を動かしてもらっていたが、それもあまり利用されなくなった。通勤や通学がなくなったためでもある。また、からだが軽くなったので、けっこう早く歩けるし、疲れることもない。緊急な用事のたぐいはなくなったのだし、どうせ、出かけるのはひまつぶしが目的なのだ。

山野を、楽しく歩きまわるのはいいものだ。公害がなくなったので、小鳥たちがふえてきた。農作物を作らなくていいのだ。農地は原始の姿をとりもどしはじめた。川の水は美しく澄み、魚もふえた。

まったく健康的だった。もっとも、幽霊にとって健康的な環境など不要だが、景色を味わう楽しみだけは残っていた。

山奥に行くと、クマに出あったりする。しかし、食われて死ぬことはなかった。クマも幽霊なのかと思ったが、そうではなかった。あの爆発は、人間だけに作用するものだったようだ。

外国から視察にやってきた連中たちは、いろいろと事情を知って、内心ほっとしたらしかった。声をひそめて話しあっている。

「こんなふうになったとはね。大きな声じゃ言えないことですが、うまいことずくめのようですな。この国は、もはや恐るべき経済大国になる心配などない。公害を世界にばらまくおそれもない」

「まだありますよ。軍備を強化し、近くの国々をおびえさせることもなくなった。人口爆発もおさまった。幽霊のやつらには、子供を作れませんからな」

「あの、ミサイルをぶっぱなした気ちがい司令官、いいことをしてくれました。もしかしたら、世界の救世主かもしれませんよ」

「まったくです。この国という大きな市場を失ったことにはなりますが、この国は買うのより輸出する金額のほうが、ずっと多かった。つまり、そのぶんの利益が、われわれの国々へまわってくるわけです。うまいぐあいだ」

微笑しあっていたが、ひとりが気がかりな声で言った。

「しかしです、ひとつだけ心配なことがある。この国のやつら、することがなくて、あちこち野山を歩きまわっている」

「それぐらいは仕方ないでしょう。幽霊たちの好きなようにさせておいたって……」

「しかし、ね、観光に日をすごしているということは、好奇心だけは残っているといえましょう。あの爆発で幽霊になってしまったが、物見高いという本質は消えてないようだ。このままだと、いずれどうなると思います」

「あ、なるほど。世界中に出かけてくるということに……」

「それについて、よく考えてごらんなさい」

「ぞっとしますな。幽霊にぞろぞろやってこられては、たまったものじゃない。なにしろ、目に見える存在だからしまつが悪い。そんなのに来られたら、どこの国民も勤労意欲をなくしてしまうでしょう」

「それだけじゃありませんよ。幽霊が何十万人やってきても、まったく観光収入にならない。みやげ物も買わず、食事もしない。百害あって一利なしだ」

「一大事だ。各国と秘密のうちに連絡をとり、この国に対して封じこめ計画を実行する必要がある。しかも、早いところやらなくてはならない」

「その通りです。この幽霊たちの大群にこられて、うらみごとなど聞かされたら、どうにもこうにもなりません」

その実行はすばやかった。航空機、船、すべての乗り物がやってこなくなった。もっとも、船はずっと前から、すでに寄港しなくなっていた。運んでくるべき貨物も、運び出す輸出品もなくなっていたからだ。

ちょっとかわいそうではないかと、人道的な意見もないわけではなかった。しかし、それは無視された。どの国も国益をもとに考えたし、幽霊にヒューマニズムを適用する必要などないではないか。


幽霊たちは、なすところなく日をすごしている。退屈まぎれに、海水浴でもやるかと海に飛びこんだ者があった。

しかし、なんということ。水面の上に立てたではないか。歩くこともできる。

「おい、みろよ。ほら、歩けるぜ」

「本当だ。これは面白いや。どうだ、ひとつ外国へ出かけてみるか。国のなかは見物しつくしたし」

「しかし、外国は遠いぜ」

「遠いからどうだというのだ。われわれは疲れない。飲み食いもしなくていいのだ。おぼれて死ぬ心配もない。嵐《あらし》にであったって平気だ」

「そうだったな。以前の常識にしばられていた。よし、出かけよう。どうせなら、大ぜいさそいあわせて、にぎやかに行こう」

「そうだ、そうだ」

話の伝わるのは早い。それに、することがなくて、みなからだを持てあましているのだ。ぞろぞろと海上を歩きはじめる。

この人の波を防ぐ方法はないはずだ。いかなるおどしも処罰も、ききめがない。他国の連中は、どう思うだろう。たぶん、ミサイルをぶっぱなしたやつを、あらためて心の底からうらむにちがいない。

# 新しい遊び

〈ロボット三原則〉

第一条。ロボットは人間に危害を加えたり、人間に危害が及ぶのを看過してはならない。

第二条。前条に反しない限り、ロボットは人間の命令に従わなければならない。

第三条。前二条に反しない限り、ロボットは自己をまもらなければならない。

まさにこうあるべきだった。むかしある学者が考えだした三原則だったが、現実に製造されるようになっても、そのまま適用された。安全であるべきだし、有益であるべきだし、また、勝手に自殺されたりしては困る。

安全、有利、確実。それらがたしかめられるにつれ、各家庭へと普及していった。まったく、こんな便利なものはなかった。人間はただ、命令をしさえすればいい。

「おい、この部屋を掃除しろ」

「はい、かしこまりました」

「それがすんだら、庭の芝刈りをやれ」

「はい、かしこまりました」

なまけたり手を抜いたりせず、指示された通りにロボットは働く。

「そのあとは料理だ。なにを作ってもらおうかな。料理カードの三五番を作れ」

「はい、かしこまりました」

どうこき使っても、文句ひとつ言わない。疲れたの、休ませてくれだの、そのたぐいのことは決して言わない。いかに便利なしろものかは、使ってみてはじめてわかる。

「外出してくるから、留守番をたのむ」

「はい、いってらっしゃいませ」

その任務も忠実にはたす。泥棒が侵入してくると、警察へ電話をし、同時に大声をあげて追いかえす。

もっとも、泥棒をなぐり倒すことだけはしなかった。三原則の第一条に反するからだ。この点はいささかものたりなかった。悪人を人間あつかいすることもないじゃないか。そんな声もあったが、この一線をくずすわけにはいかなかった。ここをゆずったら危険な存在になりかねない。また、悪人と善人との判別装置を作るのは容易でなかった。まあ、泥棒による被害を防止できれば、それでいいとすべきだろう。

人間が作った装置のなかで、ロボットほど便利なものはないといってよかった。しかし、最初に普及したロボットは、大きさがほぼ人間と同じだった。ここにちょっとした問題点があった。

つまり、なんとなくやましさを感じるのだ。どれいを使っているような気分になる。自分が人使いの荒い、むかしの暴君かなにかのように思えてくるのだ。

なんとかならないものだろうか。そんな感想をもらす者が多かった。それはメーカーにも伝わった。

メーカーはそれを解決すべく知恵をしぼり、ロボットを小型化することに成功した。まず、これまでの半分の身長のものを作りあげ商品化した。その結果、どれいをこき使っているような気分は、だいぶ薄れた。

また、小型化は予期しなかった形で、メーカーに利益をもたらした。つまり、いままでは一家に一台だったものが、二台、三台と普及するようになったのだ。それだけ場所をとらないのだから、一家の台数をふやすことができる。

しばらく、メーカーの小型化競争がつづいた。小型にすればするほど、売行きがふえる。最初のころの大きさの、四分の一、五分の一の大きさのロボットが量産されはじめた。

各家庭においても、台数がふえることは能率の向上を意味した。これまでは、命じた仕事のすむのを待ってつぎの命令を出していたわけだが、待つ必要がなくなったのだ。

「おい、庭の草花の手入れをやれ」

「はい、かしこまりました」

すぐ、もう一台に命令する。

「おい、服にブラシをかけろ」

「はい、かしこまりました」

「そっちのやつ、カクテルを作って持ってこい」

「はい、かしこまりました」

なにもかも、いっぺんに進行する。家族ひとりに一台どころか、ひとりに何台ものロボットが家のなかをちょこまかと動きまわる。亭主用、夫人用、子供用など、いくつもの割で普及した。人間の欲は限りない。

しかし、いかに動きまわっても、人間のじゃまにはならなかった。それはちょっとした壮観だった。なぜなら、人間は動かなくていいのだ。ただ命令を口にしていれば、物事は片づいてゆく。人びとはだれもが雑事から完全に解放された。なにものにもじゃまされることなく、人間だけに許されたことにひたれた。それは思索であり、思考であった。

といって、なにをどう考えればいいのだ。それはロボットも助けてはくれない。思考することがみあたらず、心のなかにもやもやしたものがうまれる。さらには、いらいらした感じに高まる。どうすればいいのだ。

しかし、人間の知恵は、とてつもないことを考え出す。たとえば、ある休日、妻子が外出し、亭主ひとり家に残っていたりする時。

亭主は庭へ出て、垣根ごしにとなりの家の主人に声をかける。

「おいでですか」

「ええ、ひまでぼんやりしてるとこです」

「じゃあ、いっちょうやりますか」

「けっこうですな。わたしもやりたいと思ってたとこですよ」

「さっそく、用意してとりかかりましょう。きょうは、うちの庭でやりますか」

そして、おたがいに家のなかにいるロボットたちを、それぞれ庭に集める。そして、命令を下す。

「さあ、おまえたち、戦うのだ。むこうのロボットたちをやっつけろ」

「はい、かしこまりました」

全力をあげてとか、ひるむことなくとか、そういう大げさな形容詞つきの命令を出す必要はない。ただ、戦えとだけ言えばいい。

ロボットたちは命令に忠実なのだ。忠実以外になにもない。こちらの一群はとなりの一群にむかって、飛びかかる。むこうも応戦し、壮絶なる光景が展開する。

人間の命令には従わなければならない。それは第三条の、自己をまもる項目より優先する。おたがいどうし、適当に戦っておこうなどという現象はおこりえない。どこかが故障し、動けなくなってしまうまで、なぐりあい、けとばしあい、腕がもげ、首がまがっても戦いつづける。どこかが故障し、動けなくなってしまうまで。

人間はそれを、タバコを吸いながら、あるいは酒を飲みながら見物していればいい。

やがて勝負がつく。

「どうです。あなたのほうは、みんなのびてしまいました。こっちが勝ちましたぜ」

「残念です。このつぎは絶対に負けませんよ」

どちらも、修理ロボットだけは、戦わせずに残している。それに命令すればいい。

「おい、みなを修理してやれ」

「はい、かしこまりました」

修理ロボットは、つぎつぎに故障部分をなおし、もとどおりにする。人間たちは話しあう。

「ロボットの戦闘は、いつ見物しても壮絶なものですな」

「これをやると、胸がすっとします」

「だいぶ流行しているようですな」

「心のもやもやが消えますからね。そのせいか、凶悪犯罪がめっきりへった。戦争の危機など、けはいもない。いいことです」

「これは残酷な遊びなんでしょうか。時たま、ふと考えてしまいますが」

「そんなことはないでしょう。将棋やチェスと、どこがちがいます」

# 子供の部屋

ふと思い立って、その男は旅に出た。しばらく前、小さな地方都市に引っ越した友人をたずねてみようと考えたのだ。なぜ急に都会から越していったのか不明だった。そこが気になり、知りたくもあった。

駅でおり、バスへ乗り、町はずれでおりる。手紙で教えてもらった地図をたよりに、道を歩いた。畑があり、森があり、お寺があり、そのそばにめざす家があった。わりと大きいが、かなり古びていた。

「やってきたよ。しばらくだね」

男があいさつすると、主人が迎えた。

「よくきてくれた。あがって休んでくれ。これといったものはないがね」

「ありすぎるぐらいじゃないか。緑、きれいな空気、小鳥の声、静かさ。一杯の水だって、きっとおいしいにちがいない。都会から来ると、生きかえったような気分になるよ」

「まあ、酒でも飲んでくれ。新鮮な野菜や川魚ぐらいしかないが」

主人は自分で料理し、すすめてくれた。いい味だった。

酒を飲みながら、男は聞く。

「奥さんやお子さんは、どうしたんだい」

「家内は法事があって、実家へ出かけた。むすこは中学一年だが、修学旅行。だから、きょうはわたしひとりだ。酔ってさわいでもいいぞ。酒はたくさんある」

「じゃあ、遠慮なく飲むことにするよ」

そのうち、時がたち、主人は言った。

「眠そうだぞ。近くの家の離れを借りることにしてある。そこへ泊ってくれ。すぐそばだ。案内するよ」

「水くさいぞ。ここへ泊めてくれたっていいじゃないか。奥さんも、お子さんも留守なんだろう。奥さんの部屋ではぐあいが悪いだろうが、お子さんの部屋に寝かせてくれてもいいじゃないか。そこの部屋がそうだろう。ごろ寝するぐらい……」

「しかし、ね……」

「なにか困るのか」

「いや、ちょっと、ね。それだったら、もっと飲んでからにしてくれ」

なんとなく話がおかしかった。しかし、男は気にとめず、さらに飲みつづけた。そのうち、しゃべり方がおかしくなり、完全に酔いつぶれた。なんとか子供の部屋まではって行き、そのまま眠りこんでしまった。

主人はまくらを出し、毛布をかけてやりながら言う。

「これだけ前後不覚に酔っていれば、朝までぐっすりかもしれないな」

男は、しばらく眠りつづけた。

しかし、ふと気がつく。なにか上から押されるような感じがする。はらいのけようと手を動かしたが、なにもさわらない。酔っているせいだろうか。そう思いこもうとしたとたん、つめたいものを首すじに感じた。だれかに息を吹きかけられたみたいだった。

「おい、いたずらするなよ」

まっくらだった。手さぐりで電気スタンドをつける。あたりが明るくなった。しかし、部屋にはだれもいなかった。

気のせいだったのかもしれない。そう思いかけた時、廊下にだれかの足音がした。障子をあけてみたが、そこにも人影はなかった。異様な感覚が、からだを走り抜けていった。酔いも、たちまちさめてしまった。

なんとか眠ろうと、電気を消す。まくらもとに、だれかいるけはいがした。目をむけると、見知らぬ老人が、だまってすわっていた。暗いなかなのに、その姿だけは見えるのだった。

声をかけても、老人は無表情のまま、答えようともしない。

男は悲鳴をあげかけたが、それは押えた。ここは他人の家だ。むりやり泊りこみ、さわいでは失礼になる。子供の部屋だそうだ。きょうは修学旅行で留守だが、ふだんは毎日ここで寝てるのだろう。となると、アルコールによる、おれの幻覚なのだろうか。

もはや、ねむけは消えてしまった。酒の残りを持ってきて飲む。だが、少しも酔わなかった。天井裏でノックする音がした。そんなところに、だれかがいるわけがない。幻聴だろうか。頭がおかしくなったのかもしれない。季節はずれなのに、ユリの花のにおいがし、すぐに消えた。

むりに眠ろうと、電気を消す。

すると、暗いなかに、また老人の姿があらわれる。

どうしようもない状態で、男は朝になるのを待った。目が充血し、顔色もよくない。

それを見て、主人が言った。

「ははあ、途中で目がさめたのだな。あれだけ酔ってたから、大丈夫と思ったが」

「その口ぶりから想像すると、毎晩ああなるのか。しかし、お子さんの部屋でしょう」

「そうですよ」

「じゃあ、お子さんは、毎日あんな目に会っているのですか。おばけ不感症なんですか」

「不感症とはちがいます。むすこにとって、あれは必要品なんです」

「まさか。どういう事情なんです」

男はふしぎがり、主人は説明した。

「じつは、わたしたち、ご存知のように、以前は都会の一軒家に住んでいた。むすこが生れ、物置きだったところを改造し、その部屋にした。そこが、のろわれた部屋だったわけです。わたしと家内は気がつかなかったが、むすこは毎晩、怪異とともにすごしていた。なれてしまい、それが普通だと感じながら育ったというわけです」

「なるほど」

「そのうち、その一帯がとりこわされ、大きなマンションが建った。その一室に移ったのですが、むすこがどうも落ち着かなくなった。学校の成績も低下した。あれこれ問いつめて、はじめてそうとわかったのです」

「そうでしたか」

「マンションの管理人に聞き、どこか、おばけの出る部屋はないか、あったらそこへ移りたいと言ったが、なかった。それからですよ、おばけの出る家をさがしはじめたのは。そして、この家をみつけ、手に入れた。わたしもこの町へ職を変えた。むすこのためには、やむをえません」

「そのご、お子さんはどうなりましたか」

「すっかりよくなりました。この町の学校へ毎日、元気よくかよい、一番の成績です。ほっとしましたよ。そのうち、もっと成長すれば、おばけより異性に関心を持つようになるでしょう。しかし、いましばらくは、幼児のころからの環境を変えないほうがいいのです」

その話を聞いて、男はため息をついた。

「異常だ。異常としかいいようがない」

「そうですかね。わたしたち、ここへ移ってきて、考えなおしましたよ。あなたのような、都会に住んでいる人はどうなんです。交通事故、パトカーの音、火事、騒音、ラッシュアワー、どぎつさ、にごった空気。それらになれて平気になっている。もし、それらが一切なくなったら、なんだか気分がおかしくなるんじゃないかな」

「ううん、異常の日常化か」

「たとえば、新聞です。政治面にも、社会面にも、なんにも大事件のない日がつづいたとする。いらいらし、落ち着かなくなり、一種の不安感におちいるんじゃないかな」

「平穏なのはいいことだと思うがなあ」

「なんだったら、ここに、しばらくいてごらんなさい。きのう話した、離れを借りてあげる。平穏そのもの。新聞もテレビもありませんがね」

「そうしてみるかな。そんなところで休養してみたい。仕事も忙しくないから、会社に電話して、休暇をとることにする」

男はそうした。しかし、二日目あたりから、なにかいらいらしはじめ、三日目には、ねをあげた。

「もうだめだ。がまんができない。都会へ帰るよ。これ以上ここにいると、気が変になりそうだ」

男は、おばけ以上の異常さにみちた都会へと帰っていった。

# 処刑場

　ここは熱帯地方にある、小さな国。のんびりしたおだやかなところと思う人もあるだろうが、そんな風情《ふぜい》ではなかった。共和制で、大統領が元首ということになっているが、全権と秘密警察とをにぎっていた。反対派はすべて弾圧された。つまり、独裁者というべきだった。

　独裁者だから、なにもかも自由に決定できた。非公開の法廷へ出かけていって、勝手に宣告を下すこともできた。

「おまえは外国のスパイと判明した。よって、死刑を宣告する」

　被告の男は、あわれな声を出した。

「スパイなんかじゃありません。わたしは、ただ観光旅行にやってきただけで……」

「いまさら弁解してもむだだ。わが秘密警察の目をごまかすことはできない。もはや死刑と確定したのだ。しかし、特別な慈悲をもって、処刑をいくらか延期してやってもいい。もし、それを望むならばだが……」

「急いで死にたがる者など、いるわけがありません。お願いします。できるだけ延期して下さい。いったい、どれくらいの期間、のばしていただけるのですか」

「それは、おまえの腕しだいだ」

「どういう意味でしょうか」

男はふしぎがる。独裁者は、小さな動物を持ってきて言った。

「ここに、うまれてまもないライオンの子がいる。このせわを、おまえに命じる。せわをおこたり、これが死んだら、猶予《ゆうよ》は取り消され、おまえはただちに処刑されることとなる」

「ありがたくお受けします。なんのためかわかりませんが、大事にめんどうをみますよ。文字どおり、命がけでやります」

その指示は実行に移された。すなわち、ライオンの子と男とは、サクで囲われた一画に収容された。そう悪い待遇ではなかった。サクのなかは、けっこう広かった。ひとつの小屋もあり、なかには簡単な台所用品もそろっていた。

もっとも、逃げることは不可能だった。いつも銃を持った番人がついている。脱走をはかったら、うたれてしまう。その番人は毎日、肉や野菜や水といったたぐいを、サク越しにほうりこんでくれる。

男はその一部を料理して自分が食べ、一部をライオンの子にやった。清潔にしておいたほうが、病気にかかる率も少ないだろうと、熱心にからだを洗ってやったりもした。なにしろ、これに命がかかっているのだ。

そのライオンの子は、おすだった。それをかわいがることについて、べつに精神的な苦痛はなかった。事実、まったくかわいらしかったからだ。

じゃれついてくる。いっしょに、サクのなかを走りまわったりもした。なかなか楽しい日常だった。しかし、運動するようになると、それだけライオンの食欲もふえるのだった。男は、サクのそとの番人に声をかけた。

「ライオンのぼうやが、もっとたくさん食べたがっている」

「そうだろうな。成長しているのだから」

それを聞いて、男は青ざめた。

「わかってきたぞ。ライオンを育てるためには、それだけおれの食うぶんをへらさなければならない。そうして、徐々におれを飢え死にさせようという計画だな。なんというひどい処刑法だ」

「そうあわてるな。そんなことはない。食料がいるのなら、要求してくれ。あしたから量をふやしてやる」

その約束ははたされた。男は飢え死にの心配から解放され、ほっとした。安心して、ライオンの子と遊ぶ。それで日をすごした。

「元気でいてくれよ。おまえに死なれたら、とんでもないことになってしまうのだ」

こう呼びかけたりする。心をこめた男のせわのためか、ライオンはもともと丈夫なものなのか、べつに病気になることもなく、元気なものだった。

男は時どき首をかしげる。あの独裁者、なんでこんな寛大な処置をとってくれたのだろう。その気なら、即座に銃殺することだってできただろうに。気まぐれで、ふと思いついたのだろうか。ふしぎでならなかった。

しかし、月日がたつうちに、事態の深刻さがわかってきた。ライオンはしだいに大きくなり、からだつきはたくましくなり、うなり声も大きくなった。歯や爪《つめ》も鋭さをました。しだいに野性を示しはじめてきたのだった。

いつの日か、おれはこいつに食い殺されることになるのではないか。そこに気づき、男は身ぶるいをした。といって、防御のためにライオンを殺すこともできないのだ。それはすぐに自己の死につながる。どうすればいいのだ。

男は悲鳴をあげた。サクのそとから、番人の声がかえってくる。

「やっと気づいたようだな。そういうことさ。みせしめのためだ。こういう処刑がなされたとの話がひろまれば、二度とスパイも潜入してこなくなるだろう」
「残酷だ」
「残酷でなかったら、みせしめにならないよ。わが元首は、頭がいいのだ」
「いったい、ライオンが完全に猛獣としての野生に戻るのは、あとどれくらいなんだ」
「教えないよ。いっとくがね、それを手なずけようとしてもむだだよ。そいつは、特別に凶暴なライオンの子なんだから」

なにもかも絶望的だった。

ライオンは、さらに大きく強くなる。ふざけ半分に小屋の戸に飛びかかり、それをこわしてしまった。小屋にとじこもって身を守ることも、男にはできなくなった。ほえる声も、一段とすごみをました。

ある日、番人はサクのそとから声をかけた。しかし、男の返事はなかった。銃をかまえて、なかへ入ってくる。そして、見た。

あたりは血だらけ。肉片や骨片が散らばっている。そのなかで、ライオンは満腹感にひたって眠っていた。

「ついにやったぞ。さっそく報告に行こう。元首もさぞお喜びになるだろう。おい、ライオン。おまえもお手柄だぞ。よくやってくれた。もはや、この処刑場もご用ずみだ。サクの戸をあけておくから、草原へ出て、あとは好きなように生きてくれ」

番人は出ていった。

しばらくして、ライオンはおきあがる。よたよたと歩いて、サクの戸からそとへ出る。あたりを見まわし、だれもいないのをたしかめ、立ちあがり、皮をぬいだ。なかから男があらわれた。

「スパイの訓練所では、ずいぶんいろんなことを習ったものだ。ライオンの急所だの、毛皮をはぐ技術まで教えられた。なにも、そんなことまで身につける必要はないと、あの時は思ったものだったがな……」

# 超能力

テレビ局のニュースのアナウンサー。ある日、いつものように原稿を読もうとすると、意志に反して口が勝手にしゃべりだした。

「ニュースを申しあげます。贈収賄《ぞうしゅうわい》事件が発覚しました。K産業が、その監督官庁の高級官僚に、定期的に金品をおくっていたというもので……」

放送後、局内は大さわぎとなった。だれかが当人に聞く。

「なぜ、あんな原稿にないことを話した」

「自分にもわからない。しぜんに声が出てしまったのだ。頭がおかしくなったのかな」

「頭がおかしかったじゃ、すまないぜ。抗議があるだろうし、でまかせを放送したとあっては、わが局の信用まるつぶれだ」

みな青くなり、アナウンサーは免職を覚悟していたが、ふしぎなことに、いっこうに抗議の電話はかかってこなかった。

そればかりではなかった。ニュースで指摘された高級官僚が、責任をとって辞職したという情報が入った。また、半信半疑ながらニュースを聞いた警察がK産業を捜査したところ、すぐに贈賄の証拠が発見でき、ただちに関係者を逮捕したという。

テレビ局内の空気は一変した。大変なスクープをやったことになる。アナウンサーへの批難は、賞賛の声と変った。

「驚いたね。きみのしゃべったのは事実だった。なぜ、あれがわかった」

「それが、自分でもよくわからないのだ。その文句が頭にひらめき、それが言葉となって出ていっただけなのだから」

「もしかしたら、超能力かもしれないな。表面化しないでいる不法行為、それを発見する力をさずけられたのだ。これからは、その才能を大いに活用してもらいたいな。わが局の視聴率は、ぐんとはねあがる」

「さあ、うまくいくかどうか」

しかし、つぎの日のニュースの時間、そのアナウンサーは、またもしゃべった。

「昨年度の、脱税者のベストテンをお知らせいたします。第一位は……」

そして、金額ばかりでなく、いかなる方法で脱税したかまで、それぞれくわしく説明した。またまた的中。すぐに出動した税務署員は、いとも簡単にその証拠を押収した。

となると、このニュース番組は大好評。視聴者からの電話が、つぎつぎにかかってくる。激励のものばかり。

「すばらしい。大衆の味方だ。その超能力で、悪いやつを遠慮なくやっつけてくれ。われわれの胸をすっとさせてくれ」

そのアナウンサーは、局にとまりこみとなり、一日に三回も画面に出た。そのたびに彼の口はスクープをしゃべり、人気はあがる一方だった。

しかし、連日となるとからだがもたない。一週間目になんとか休みをもらった。自宅に帰ろうとしたが、その途中が大変だった。彼の顔を見ると、だれもかれも逃げてゆく。

それは、会社の出張旅費の精算をごまかした者かもしれない。あるいは、キセル乗車をしたことのある者、仮病でつとめを休んだことのある者、学生時代にカンニングをしたことのある者、女をだましたことのある者。だれも、なにかしらうしろぐらいところがある。テレビで人気のあのアナウンサーに近くに来られ、自分についてのよけいなことをしゃべられては困ると思ってだろう。みな逃げてゆく。

面白くない気分になり、彼はやっと帰宅した。だが、妻の姿はない。数日前に逃げていってしまったらしい。彼女にしたって例外ではない。

# 現在

「現在の、この文化や生活のありのままを、後世のために残そうではないか。数千年後の人にむけてだ。なにかの参考になるはずだ。意義のあることだと思う」

「すでに、タイムカプセルという方法がなされているよ。さびることのない金属容器のなかに、さまざまな品を入れ、地下に埋めるという方法だ」

「そのことは知っている。しかし、戦争でもあれば、埋めた場所なんか、わからなくなってしまう。地殻の変動だってあるだろう。もっと確実で、しかも数千年後にぴたりと出現する方法を考えたのだ……」

提案者は説明した。

「……地下に埋めるのでなく、タイムカプセルを宇宙にむけて発射するのです。この方角にむけて発射する。地球から遠くはなれ、太陽系内の各惑星の重力を受け、複雑な軌道で空間をさまようわけですが、数千年後において、ふたたび、ぴたりと地球へ戻ってきます。コンピューターによって、この計算を確認しました」

それは実行に移された。そして、局地紛争の悩み、公害の問題、交通機関への不満、宗教や人種の差によるごたごた、都市化にともなうさまざまな環境悪化。それら、現在の悩みを示す資料をつみこみ、そのタイムカプセル・ロケットは発射された。

ロケットは宇宙空間をめぐり「現在」をそのまま保ちつづけるのだった。

一方、地上においては、静止などありえない。変化がつづいた。各種の難問も、本気になってとりくめば、少しずつ解決されてゆく。それには、コンピューターの性能向上と普及とが、大いに役立った。

やがて、完全とか理想的とか呼んでもいいほどの状態がおとずれた。連動しているコンピューター群が、なにもかもやってくれる。それにまかせておきさえすれば、すべてがうまくゆく。平穏な日々が、いつまでもつづくのではないかと思われた。

しかし、ものごと、いいことずくめとは限らない。平穏は人を怠惰にし、向上心を失わせた。コンピューターがなにもかもやってくれ、なんでも教えてくれるのだ。努力とか研究など、なぜやる必要がある。

いつしか、順調そのものだったコンピューターに、狂いが生じはじめた。以前なら、すぐそれに気づき、故障部分の発見と修理とが、すぐになされただろう。しかし、もはやそのような人材はいなかった。人びとは怠惰で、知的な思考を失っていた。もっとも、危機を叫ぶ少数の人はあったが、だれも耳を貸さず、支持もしなかった。

世界は崩壊と破局とにむかって進んだ。平穏さが失われる。混乱のなかでむきだしになるのは、生存本能だった。なまなましい体力。それ以外に生き残る方法はない。多くの人たちが、つぎつぎに死んでいった。

文化はほろび、都市は機能を失って放棄された。整然としていた建造物も、やがて風化し、土にかえっていった。

生き残った少数の人たちは、みずからの手で大地をたがやし、家畜を飼い、ほそぼそと生活をつづけた。そして、余裕ができると、いくらか知的なことへの関心もめばえる。

もちろん、その進歩は急速ではなかった。あやしげな宗教も発生し、長い暗黒時代も持たなければならなかった。数えきれぬほどの、ばかげたことがくりかえされた。

しかし、あゆみはおそくても、文化は少しずつ高まるのだった。科学はすばらしい。それは生活を高めてくれるにちがいないということに気づき、熱中する。しかし……。

そのような状態になったある日。宇宙空間から、なにかが落下してきた。大気圏に入るとパラシュートが開き、ゆっくりと降下して地上に達した。人びとは、好奇心と興味と期待とをもって、なかを開き、そして言った。

「ふしぎだ。どういうことなのだ。これは現在そのものではないか」

# 質問と指示

三十歳をいくつか過ぎたというのに、まだ独身の男があった。気ままな生活を楽しむというたぐいの、優雅なものではなかった。生活が安定せず、したくてもできなかったのだ。かつてある商売をやったのだが、うまくゆかず倒産、借金だけが残った。それを少しずつ返済しながらという状態では、ひとりで暮すのがやっとだった。まあ、運がよくないというべきところだろう。

ある日、安酒を買ってきて、飲みながらつぶやいていた。

「たまには、なにか面白いことがおこってくれてもいいだろう……」

その時、ノックの音がした。しかし、ドアをたたく音ではなかった。男はあたりを見まわし、それが小さな窓のガラスをたたく音と知った。

「だれが、どういうつもりで……」

ふしぎがりながらもあけると、ひとりの女が入ってきた。しかし、普通の女ではない。身長二十センチほどの、小さな女。ゆるやかなガウンのようなものを身につけており、軽やかな動作で床に飛びおりた。

「これは、これは。酒を飲みすぎたための幻覚だろうか」

「そんなものじゃないわ」

そう答える女をながめ、男は言う。

「なにか、この世のものでない感じがするな。幸運の女神かもしれない。それだとありがたいが」

「女神みたいな、オールマイティの大きな力は、あたしにはないの」

「それは残念だな。だが、小さな力だっていいさ。いったい、おまえはなんなのだ」

「妖精《ようせい》よ」

「なるほど、そうか。そういえば、そんな感じだな。できることが限られているというわけか。それだって、いまのおれには大変ありがたい。おれの不運をあわれんで、女神がつかわしてくれたのだろう。で、どういうことの妖精なんだ」

「それが、わかんないの」

いちおう順調に進展した会話が、ここでおかしくなった。

「なんだと。自分のことがわからないとは。忘れたのか」

「それが、わかんないの」

壁にぶつかった感じ。男はなにを話したものかわからず、口をつぐんだ。妖精は首をかしげて言う。

「あたし、帰りましょうか」

「まあ、待ってくれ。おまえが妖精であることは、たしかなようだ。そばにいてもらえば、いいことがあるにちがいない。少なくとも、悪いことはあるまい。そのうち、どんな妖精なのか思い出してくれるかもしれない。できれば、ここにいてくれ」

「そうするわ」

かくして、妖精はそこにいついた。

しばらくの月日がたった。しかし、状況は出現の時と大差ないままだった。男は時どき、いまや口ぐせとなってしまった質問をする。

「自分がなんの妖精なのか、思い出したかい」

「それが、わかんないの」

「おまえがここに来てから、おれの景気がよくなったわけでもない。その点から想像するに、幸運に関係ある妖精、金銭に関係ある妖精のたぐいではなさそうだな。どうなんだい」

「それが、わかんないの」

いつも同じ返事。なにか方法はないかと、男はあれこれ考えたあげく、ついに決心し、妖精を病院に連れていった。記憶喪失なのかもしれない。それを治療してもらえば、すべてがはっきりし、いい結果がえられるのではなかろうか。

「先生、患者の秘密は守っていただけるのでしょうね」

男は念を押した。妖精についてのうわさを、ひろめられては困るからだ。医者はうなずく。

「それは当然ですよ。それをしゃべったら、患者がこなくなってしまいます。それで、だれがどんなぐあいなのですか」

「じつは、これが記憶を失ってるので……」

男は持ってきたカバンのなかから、妖精を出した。医者は妙な視線になった。

「なんです、それは」

「じつは、妖精なんですよ」

「わたしには、なにも見えませんな。どうやら、治療が必要なのは、あなた自身のようですな。いつからそんな気分に……」

そう言われ、男はあわてて逃げ帰った。この妖精の存在は、他人に見えないらしい。

「どういうことなのだ。やはり幻覚かな」

「あたしは、ちゃんと存在しているわ。妖精なるものは、とりついている人以外の目には見えないのよ。見える必要もないわけでしょ」

「なるほど、そういうものか。理屈が通っている。幻覚だったら、そうはいくまい。しかし、おかげで頭がおかしいのかと医者に思われてしまった。おまえは、ひとを気ちがいにする妖精じゃないのか」

「それが、わかんないの」

「なんということだ。これだと、まったく宝の持ちぐされだ。どんな願いをたのんだものか、見当がつかない。あせりで、いらいらしてくる。ひとをいらいらさせるのが役目の妖精じゃないのか」

「それが、わかんないの」

「おまえが出現してから、いっこう景気がよくならない。このありさまだと、さらに金まわりが悪くなる。貧乏をつかさどる妖精じゃないのか」

「それが、わかんないの」

「わたしが生きていることだけはたしかだ。してみると、死をもたらす妖精ではないようだな」

「それが、わかんないの。おいやでしたら、消えてしまいましょうか」

「まあ、もう少しいてくれ。病気の妖精でもなさそうだ。実害はないのだし……」

さらに月日がたった。なんの妖精なのかは、依然として不明だった。男は言う。

「こんなことで人生を空費していては、いけないのではないだろうか。おまえは、空費の妖精かなんかじゃないのか」

「それが、わかんないの」

返答はいつも同じ。男は追い出してしまおうかとも考えるが、ためらいが残る。このなぞさえとければ、人生は思いのままとなるはずなのだ。苦しくなる生活をがまんし、妖精との会話をつづける。

「たのむよ。思い出してくれ。いったいなんの妖精なんだい」

「それが、わかんないの」

男はまだ独身のままだった。ということは、キューピッドのごとき、異性とのあいだをとりもってくれる妖精でもないらしい。あるいは、嫉妬《しっと》の妖精かなんかだろうか。これがそばにいるあいだは、女ともだちもできず、結婚できないのかもしれない。

そう内心で考えてもみる。男はあまり質問をしなくなってきた。どうせ、なにを聞いても、かえってくる答えはきまっているのだ。

この妖精がやってきてからの、自分の変化を考えなおしてみた。なにか手がかりはないかと。しかし、とりたてて思いつかなかった。いや、ひとつだけあった。好奇心、この妖精の正体を知りたいということ。

「おまえは、好奇心の妖精じゃないのか。おれは、ずっとそれにとりつかれつづけだ」

「それが、わかんないの」

またしても同じ答え。

かくして、年月がすぎていった。男もとしをとった。このままだと、一生を棒にふりかねない。こんなふうでいいのだろうか。その不安がめばえ、しだいに大きくなっていった。

なにを聞いても、いつも手ごたえのない答えだ。なにもできない妖精、それが真相なのではないだろうか。妖精であるなら、なにかをするのがつとめだし、なにかをしたがるはずだ。それなのに、いまに至るまで、なにもしてくれない。できないからだろう。

ばかばかしいことをしてきたようだ。もう、がまんができない。男は腹が立ってきた。そして、妖精に言った。

「もういい。どこかへ行ってしまってくれ」

「はい……」

妖精はそう答え、出現した時と逆に、窓からすっと消えていった。

「すなおな消えかただな。これまでの煮えきらなさと、だいぶちがう。おれの言ったことに、ああはっきり従ったことはなかったな……」

そこまでつぶやいた時、男ははっと気がついた。いままで、あれほど持てあましていた、妖精の正体についてのなぞが、いっぺんにわかった。

あれは、なんにでも使える妖精だったのだ。たとえていえば、トランプのジョーカーのごとく、望みの目的のなんにでも役立ってくれる妖精。命令さえすればよかったのだ。幸運をもたらしてくれと言えば、そうしてくれただろう。金銭、異性、健康、昇進、才能、なんについてでもいいから、指示さえすればよかったのだ。

それなのに、おれはそれをしなかった。質問ばかりを限りなくつづけてきただけで、ついに一回も指示をこころみなかった。持ち主がどう使うか意志を示さなければ、ジョーカーも価値を発揮しようがない。

いまごろ、あの妖精、だれかべつな人物にとりついているのだろうな。そいつは、うまく使いこなすだろうか。

# 悪魔の椅子《いす》

新しく高層ビルができた。その一室で、このビルの関係者たちが会議を開いていた。管理部長がこう言った。

「高層ビルもこう多くなると、だれもあまり話題にしてくれない。そこでだ、なにか特色を作らねばならない。ああ、あのビルかと、すぐ印象に浮ぶようなものをだ。変った催しはないものだろうか」

各人がそれぞれ意見をのべた。階段のぼりのマラソン大会をやったら。背の高い美人のコンテストをやったら。高所恐怖症の無料治療サービスをやったら……。

「どうも平凡だな。もっと常識を越えた、あっというアイデアはないものか」

部長に言われ、企画課の青年が発言した。

「いかがでしょう。悪魔の部屋というものを、ひとつ作ってみたら。その内部を、いかにもそれらしく作りあげ、見物したい人にのぞかせてやるというのは」

「えんぎでもない……」

だれかの反対に、青年は言う。

「神や悪魔の存在を、あなたは信じているのですか」

「信じてなんかいないよ。ばかばかしい」

「それなら、えんぎがいいも悪いもないでしょう」

部長が口を出した。

「面白いかもしれないぞ、それは。高層ビルという新しさとの対比がいい。悪魔も部屋を借りていると宣伝できる。いやなことは、すべてそこが引き受け、あとの部屋はいいことばかりと、ビルの特色を主張できる。いささかどぎついような気もするが、少し刺激的でないと、いまの世の人は、関心を持ってくれない」

理屈はつけよう。その企画がきまってしまった。部長は青年に命じる。

「きみにすべて一任する。思い通りにやってみてくれ。不評だったら、やめればいい」

「はい。せいぜい努力します」

青年は張り切って仕事にかかった。ふと思いついての提案だったが、やっているうちに、しだいに熱中していった。悪魔に関する本を外国から取り寄せ、読みふけった。外人だって見に来るかもしれない。それに笑われないような、完全なものを作りあげよう。

材料も本物をそろえなければならぬ。絞首台《こうしゅだい》からはずしてきたクサリ、処刑に用いたクギ、牢獄《ろうごく》用に使われたレンガ、そのほか動物の角や骨などを、外国へ出かけて集めてきた。

天井も壁も黒くぬり、不吉なる星座をちりばめた。床は銀張り。そこに描く模様も重要だ。星の形を三重の円でとりかこみ、なぞめいた記号を各所に記入しなければならない。青年は出入りのディスプレイ業の男を呼んでたのんだ。

「これと同じものを床に描いてくれ。直径からなにから、図面の指示どおりにな」

「そういうことでしたら、おまかせ下さい。しかし、変な模様ですな……」

やがて、床のその図ができあがる。中央に椅子が置かれた。拷問《ごうもん》用具に使用された木材で作られ、背の上部には動物の頭の骨がとりつけられている。まさに不吉であり、悪であり、死と苦痛を感じさせる。

部長が進行のぐあいを見にきた。

「だいぶできてきたな。ぶきみなものだ。悪くない。評判になるぞ」

「部屋のなかを暗くしまして、ロウソクをつけ、呪文《じゅもん》のテープを流せば、いちおう完成です。やってみましょう」

そう青年は説明し、テープのスイッチを入れた。うめくような重々しい声が流れた。

〈……エリオナ・オネラ・エラシン……〉

あやしげなるムードが盛りあがった。青年は顔をあげ、椅子に目をやって叫んだ。

「あっ……」

それに対して部長は言った。

「おいおい、妙な声を出すなよ」

「はあ。椅子の上に、なにかものかげを見たような気がしましたので……」

「気のせいさ。きみはこの仕事に熱中しすぎた。その疲れと解放感のせいだよ。ロウソクの光のゆれだろう。ほら、なんにもないじゃないか」

「そうかもしれません」

よく見たが、椅子の上にはなにもなかった。飾りつけが完成したというので、関係者たちがのぞきにきた。ぶきみさにふるえたり、よくできたとほめたり、さまざまな感想がでた。

「すばらしい……」

「すばらしいなんてものじゃありませんよ。本物なんですよ、これは。こけおどかしの演出じゃないんです。真に迫ったでなく、真そのもの……」

と青年はむきになって主張した。部長はうなずく。

「ひとつ、役得として、最初にあの椅子のすわり心地をためしてみるかな」

「およしなさい。もし万一……」

と青年は引きとめたが、部長は平気。円のなか、星の形のなかへ歩いて入り、椅子にかけてとくいげなポーズをとった。その瞬間、部長は胸をかきむしりながら声をもらした。

「うう……」

ほかの者たちは、あわててかけよる。星の形の線を越え、椅子の部長をゆりおこした。

「しっかりして下さい。どうしました」

「あはは。冗談だよ。どうだ、わたしの演技もちょっとしたものだろう……」

と部長は、けろりとした表情で立ちあがった。

「おどかさないで下さいよ。どきりとしてしまいました」

ほっとして、みなは椅子からはなれる。しかし、ひとりだけ星の形から出たがらない者がいた。部長はそいつに聞く。

「おい、どうした」

「なにか、えたいのしれない不安を感じます。たしかに、なにかがある。悪魔は現実に出てきたんだ……」

「そんなら、早く逃げればいいのに。なぜそこにいるんだ」

「本で読んだことがある。この星の形は、悪魔から守ってくれるものなのです。このなかにいれば安全。しかし、そとに出たとたん、とっつかまるのです」

「気のせいだよ。ばかばかしい。この通り、われわれは図のそとにいるが、なんともないじゃないか」

「あなたがたは、悪魔にねらわれる価値のない人間だから、大丈夫なんです。しかし、わたしはちがう」

「自信過剰とでもいうのか、手のつけようがないな。いつまで、そこにいるつもりなんだ。食事もできず、トイレにも行けず、死んでしまうぞ」

「悪魔にやられるよりはいい」

　本気でそう思い込んでいるらしく、なかなか強情だった。部長はほかの者たちに命じた。

「あいつを連れ出せ」

みなは彼のそばへ寄り、よってたかって、むりやり力ずくで引っぱった。泣き声をあげ椅子にしがみついても、一人の力ではかなわない。ずるずると引きずられ、星の形の線を越えた。その時、彼は叫び声をあげた。

「あ、痛い……」

ほかの者たちは、心配して聞く。

「どこが痛い。胸か……」

「あんまり強く引っぱられたので……」

当人は肩のあたりをなでている。超自然的なものによる痛さでなく、現実的なものだったのだ。部長は満足そうだった。

「上出来だ。さっきから、みな、さまざまな反応を示している。これだと、きっと大いに話題になるぞ。現代では、黙殺されるのがいちばん困るのだ。すべて、きみのおかげだ。よくやってくれた」

そして、企画課の青年の肩をぽんとたたき、部屋から出ていった。ほかの者もつづく。あとに残った青年は、ディスプレイ業の男に言う。

「残念というか、張り合いが抜けたというか、くやしい感じだなあ。ぼくは真剣に研究し、なにもかもそろえて、正式にこれを作りあげた。なにかおこることを期待していた。しかるに、なんてこともない」

「じゃあ、信じてたのですか」

「かなりの程度にね。だが、悪魔は出てこない。椅子にかけた部長にも、異変はおこらなかった。信じてない者には作用しないのだろうか」

「信じてた人もいましたよ」

「星の形から出たがらなかったやつのことだな。あいつは信じてたようだ。しかし、なんにも起らなかった」

「あきらめるんですな。迷信ですよ」

「それにしても、残念だなあ……」

青年は引きあげ、帰宅した。彼が家へ帰ってみると……。

青年は家へ帰ってみたが、べつにいつもと変ったこともなかった。なにも起らぬということが、悪魔の働きなのだろうか。現代では、そのことのほうが恐怖かもしれないな。そんなことを考えながら、いつのまにか眠ってしまった。

ディスプレイ業の男も、帰宅して眠った。夜中、男はなにかのけはいで目ざめる。だれかがそばにいるようだ。電気をつけようと、まくらもとへ手をのばす。暗いなかで声がした。

「やめろ。明るくし、わたしの姿を見ると、おまえは気を失うぞ」

「だれなんです、いったい。あ、さては、もしかしたら……」

「そう、ご想像の通りだ」

「すると、悪魔……」

「ご名答」

それを聞き、男はふるえあがった。

「なんで、こんなところへ。めちゃくちゃだ。理屈もなにもない。悪魔に常識は通用しないのかもしれないが、よりによって、わたしのところへとは……」

「図を描いた、その当人のところへあらわれることになっているのだ」

「そうだったのか。しかし、用はない。帰って下さい」

「そうはいかない。出現したからには」

と悪魔に言われ、男はこわごわ聞く。

「わたしを、どうするつもりだ」

「どうもしはしない。一回だけ力を貸してやる。あなたが名ざした人物をひとり、わたしの力で殺してやる。どんなやつでもだ」

「殺したい人なんかいないよ」

「そうですかねえ。殺すと考えるからいけないんですよ。あんなやつ、死んでしまえばいい。そう内心で考えている相手は、ひとりぐらいいるはずですがねえ。それを実現してあげるんですよ」

「なんだか、いやな気分だ」

「かもしれませんが、それとくらべても、だれかがいなくなってさっぱりする気分のほうが大きいということだって、あるはずです。なにも、あなたが殺すんじゃない。わたしがうまく、しまつしてあげるんです」

「名をあげると、そいつのとこへ行って言いつけたり……」

「いやしくも悪魔たる者が、そんな卑劣なことをしたら信用にかかわる」

「本当らしいな。まあ、考えさせてくれ」

「考えるのも、そう長くは困りますよ。明るくなると、あなたはわたしの姿を見る。あなたは気を失い、永久にそのままだ」

「つまり、だれかの名を告げないと、わたしが死ぬことに……」

「その通り、ご名答」

「なんという……」

残酷なことだと、男はぞっとした。だれかを殺さなければならない。たしかに人間ばなれした発想だ。どうやら、本物の悪魔にまちがいないようだ。男はつぶやく。

「……ひどい立場に追いこまれた。これというのも、あんな椅子《いす》のアイデアを出した青年のおかげだ」

「では、それをご指名になりますか」

と悪魔。男は暗いなかで手を振った。

「いやいや、そんなつもりはない。殺したいほど、うらんでいるわけではない。同じことなら、あいつよりもっとほかに……」

「そうそう、その調子ですよ。わたしの力は万能。どんな指名でもかまいませんよ。名前を忘れていてもけっこう。たとえば、子供の時にいじめられたことはありませんか。あの時の、がき大将、そうおっしゃれば、すぐに調査して……」

「そうだな……」

「乗り物のなかで、不快な目に会ったことはございませんか。あるはずですがねえ。名前を告げない、不愉快な電話や手紙についての体験でもいいのですよ。この機会に、しかえしをなさったら。あの時のあれとおっしゃれば、わたしの力で……」

「そうだなあ……」

「だんだん、本筋に入ってきましたね」

おだてられ、男はつぶやく。

「うむ。どうせなら、大物のほうがいい。世界じゅうが、まさかあの人がと驚くような人物のほうが面白い。だれがいいかな……」

考えることに、男は熱中しはじめる。しだいに、いじの悪い悪魔的な衝動がこみあげてくる。こんな機会は、めったにないのだ。とてつもなく、どえらい人物。やつを消したのは自分だと、あとあとまで思い出して、楽しめるようなのがいい。だれそれを殺した男。どうせだれも信じないだろうが、それを話しながら、自分だけは事実とわかっている。そんな気分も悪くないぞ。そこを、うまく活用しなければ……。

悪魔は魅力的な誘惑を、やさしく自信にみちた口調でささやいた。

「いかがでしょう。もう、おきまりになりましたでしょうか」

「ああ」

「とうとう、ご決心がつきましたか。それをうかがう瞬間が、わたしの最も楽しい気分というものです。さあ、ご遠慮なく。わたしの力は万能です。だれに死をもたらしましょう」
「おまえ死ね」

## 治療後の経過

ここは特殊外科専門とでも称すべき、ある病院。患者がやってきた。片腕がない。

「あの、評判を耳にしてやってきたわけです。じつは、わたし、工場の事故で……」

それに対し、院長である医者が言った。

「ご安心下さい。なおりますよ。くわしい説明は、この映画で……」

スクリーンにそれがうつされた。地面にさした木の枝から根が発生するところ。前足を切断されたサンショウウオから、同じように足が再生してくるところ。七分間ほどのその上映のあと、医者が言った。

「……植物やサンショウウオに可能なのだから、人間に応用できないはずがない。わたしはその研究にとりくみ、特殊ホルモンと刺激剤を開発した。それを使うのです。あなたの手は、もと通りに再生しますよ。事故の多い時代、多くの人に感謝されています。もっとも、心臓や肝臓をやられた場合は、手のつけようがありませんが……」

「手だったら、手のつけようがあるというわけですか。本当にうまくゆくのでしょうか」

「切断の部分に、その混合薬品の注射をします。一カ月後に、またおいで下さい。ご満足いただける結果になっていましょう」

医者はその手当てをし、マッサージのやり方など、注意を与えて患者をかえした。

そのあと、車椅子《いす》に乗った、べつな患者がやってきた。

「一カ月前に注射をしてもらった者だ。ないよりましでしょうと弁解するつもりかもしれないが、みっともなくて困る。やい、どうしてくれる」

その患者は、医者の前でにぎりこぶしを振りまわした。その腕は、左足のつけ根からはえている。異様な姿だったが、医者はあわてなかった。

「まあ、まあ、興奮なさらないで下さい。どういうわけか、時たま、こういうことが起るのです。欠けた鼻から耳がはえたり、抜けた歯のあとから爪《つめ》がはえたりです。そんな場合、ふたたび切断したり、抜いたりし、注射をしなおすと、つぎはうまく成功します。ご心配なさることはありません」

「そういうものかね」

「しかし、あなたは売れっ子の漫画家、一本でも手の多いほうがいいのじゃありませんか。どうです、右足のほうを切断してみますか。うまくゆけば、そこからも手がはえてくるかもしれない。ますます能率があがりますよ」

「なんだと。そうなったら、まるでチンパンジーだ。いやだよ」

「いや、冗談ですよ」

医者は再手術をおこなった。それがすんだ時、ひとりの男がかけこんできた。

「先生、たのみます。ぜひ……」

「それが仕事なのですから、やりますよ。しかし、見たところ、あなたは手足も普通、鼻も耳もある。歯も抜けてない」

「いえ、わたしじゃないんです。うちの会社の会長をなおしていただきたいのです」

と、財界の実力者の名をあげた。

「どんなぐあいなのです」

「首です」

「首になったのですか……」

と首をかしげる医者に、男は真剣な表情で言った。

「正確にいうとですね、会長がビルの窓から首を出した時、不運にも上からの落下物に当って、頭がもげてしまったのです。からだの残った部分は、応急処置として、急速冷凍室に入れてあるのです。お願いです、会長の頭を再生させて下さい」

「下等生物においては、頭の再生の実例はある。しかし、人間となるとね。あきらめたほうがいいのでは……」

「このままだと、後継者の争いで大混乱になるのです。謝礼はいくらでもいたします。だめでもともと、うまくゆけば、こんないいことはない。なんとか手をつくして下さい」

「では、できるだけのことを……」

謝礼の金額と学問的好奇心につられ、医者は精魂を傾けて、その治療をおこなった。それは成功し、数カ月後、みごとに回復した。すなわち、会長の頭が以前と同じように再生したのだ。面会が許可になり、部下たちが病室へ入ってきて言った。

「会長、全快おめでとうございます。さっそくですが、重要な問題の決定が、いろいろとたまっておりますので……」

と書類を出す。ベッドの上に身を起した会長は、いかにも大物らしい貫録を示している。

その会長は、病室に飾ってある犬の置物をおもむろに指さして「ワンワンちゃん」と言い、医者を指さして「チェンチェイ」と言った。それ以上のことが言えるようになるには、まだまだ年月がかかる。

# 交代制

3月1日。会社の帰り、久しぶりに酒を飲んだ。かなり酔っぱらい、道でころんで頭をうった。痛かったが、たいしたことはなさそうだ。ひとり暮しの部屋に帰って寝る。

3月2日。会社の帰りに、久しぶりに酒を飲んだ。おや、前日の日記にあんなことが書いてあるが、おかしい。きょう飲んだのが、確実に久しぶりの酒なのだ。

3月3日。会社で上役に強く注意された。この失敗は二度とくりかえさないようにしよう。

3月4日。会社で、上役にさんざどなられた。「きのうあれだけ注意したのに、同じ失敗をまたもやるとは」と。おれが首をかしげていると、上役のほうがふしぎがり、おれの顔をのぞきこんで言った。「どこかおかしいんじゃないか。きょうは早く帰って休みなさい。あとはあした」

3月5日。会社へ行くと、上役が待ちかまえていて、おれを社から連れ出した。どこへ行くのかと聞くと「きまってるじゃないか、病院へだ。きのう、そのことを話して、きみも承知したじゃないか」との答え。いっこうに思い出せないが、上役の言うことがたしかなら、病院へ行くべきかもしれない。

医者は脳波だのなんだの、各種の精密検査をしたあと、おれをこう診断した。「あなたは頭をうちましたね。それが原因で、あなたの人格が二つにわかれたのです。といって、二人になったわけではなく、時間的に分裂したのです。きょうのあなたは、あしたになると別のあなたになる。そして、そのつぎの日、いまのあなたに戻るのです。早くいえば、一日交代制です。記憶は一日おきにつながるわけです。ですから、前日になにをしたのか、あなたはおぼえていない。それは、もうひとりのあなたが知っているのです」

つきそってきた上司は「これでは仕事にならぬな。二度ずつ命令しなければならない。まあ、しばらく休養しろ」と言う。なおるみこみがあるのかと医者に聞くと「いちおう注射をしておきましょう。こういう病状は、時間がたてば快方にむかうものです」とのこと。おれは休暇をとることにした。

帰途、休養中の費用にと、銀行で預金をおろした。そのうち半分は、おれが家の片すみにしまった。あとの半分は、この日記帳にはさんでおく。もうひとりのおれが必要とするだろう。

3月6日。朝、家に上役がやってきた。おれには、なにがなにやらわからなかった。おれはきのう医者に診察してもらい、休養することになったのだそうだ。信じられないことだ。一日中、テレビを見てすごす。

夜になって日記帳をひらくと、金がはさんであり、前日の書きこみがあった。どうやら、上役の話は事実らしい。なんという妙な病気になってしまったのだ。

3月7日。この休養期間をむだにしてはならない。いままで読もうと思って読めなかった専門書を、このさい読むことにしよう。医者によれば、やがて快方にむかうという。それまで、できるだけの読書をしよう。

3月8日。することがないので、酒を買ってきて、一日中、それを飲む。なにか不安でならぬ。きのうのことがまるで思い出せないなんて、きょうの記憶があしたにつながらないなんて、どうも落ち着いていられない。酒で気をまぎらせでもしなければ。

3月9日。朝おきてみると、二日酔いの気分。これはひどい。シャワーをあび、コーヒーを飲み、なんとか頭をさっぱりさせ、読書にとりかかる。一冊を読みあげた。

3月10日。不安がますます高まる。考えれば考えるほど、気分が沈んでくる。酒を飲まずにはいられなくなる。

3月11日。きょうも一日中、読書にふけった。夕方、同僚が見舞いにきて、激励してくれた。一日も早くよくなって仕事をしたいと答える。

3月12日。もう、こんな状態にがまんできない。死のことを考える。一日おきのこんな人生。ああ、ばかげている。

3月13日。読書ですごす。また新知識がふえ、楽しい。もうひとりのおれへ。死など考えるな。おれは死にたくないのだ。おまえが死ぬのは勝手だが、おれまで巻きぞえになるのだぞ。思いなおしてくれ。

3月14日。睡眠薬を買ってくる。前日の日記を見ると、もうひとりのおれが、死ぬなと言っている。いったい、どうすればいいというのだ。

3月15日。朝、目がさめ、おれが死んでないのを知り、ほっとした。なにもせず家にとじこもってるから気が沈むのだ。読書がいやなら、外出して楽しさを求め、気ばらしをしろ。

3月16日。忠告に従って、大いに遊んできた。キャバレーで飲み、いろいろと楽しんだ。なんだか生きる気力がわいてきた。

3月17日。からだに女のにおいが残っていて、どうも不潔だ。遊ぶのも、ほどほどにしろ。しかし、生きる気力が出てきたのはよかった。おれも安心して眠れるというものだ。

3月18日。キャバレーで知りあった女の住居に遊びに行く。昼間からこう楽しめるなんて、休養も悪くない。しかし、この調子だと、まもなく金が心細くなる。

3月19日。あまり勝手なこと言うな。節約して金を使え。症状がなおるまで、いまの金で食いつながなくてはならんのだぞ。

3月20日。もうひとりのおれが、どこかに金をかくしているはずだと、家じゅうさがしたが発見できない。おもしろくない。酒を買ってきて飲む。

3月21日。部屋のなかを、ちらかすな。そんなことだろうと、金はおれしか知らないところにかくした。さがしてもむだだ。

3月22日。金がなくなった。しようがないので、夕食をたべないですます。

3月23日。朝おきると、むやみと腹がへっている。なんてざまだ。しっかりしろ。おれはちゃんと、読書で日を送っているのだ。おまえもそうしろ。

3月24日。読書なんか、おれの性にあわぬ。激励に従って、しっかりしたぞ。ついに、どえらいことをやってのけた。まとまった金が手に入った。これでしばらくは楽しめるというものだ。

3月25日。なにをやらかしたのだ。盗みか、詐欺《さぎ》か、高利の金を借りたのか。犯罪だったら、早く自首しろ。いや、それだとおれも留置されてしまう。あやまって金をかえしてこい。

3月26日。気にするな、気にするな。おれはうまくやったのだ。心配しないでいいぞ。

3月27日。これを気にしないでいられるか。なにをやったのだ。つきとめてみせるぞ。

3月28日。やい、探偵をやとって、おれを尾行させたな。なんということだ。このおれが信用できないのか。

3月29日。やい、ボディガードを呼んで、おれのやとった探偵を追い返したな。つまらんことをするな。早く改心しろ。おれは警察にあげられたくないのだ。自業自得じゃないのだからな。

3月30日。なにをしようと、おれの勝手だ。危険なことをやり命をなくすようなまねはしないから、安心していろ。

3月31日。朝おきてみると、部屋のすみに金庫があった。これはどういうことだ。あけようとこころみたが、うまくいかない。

4月1日。おれの金庫をあけようとするな。なかみについて、あれこれ気をまわすな。たいしたものが入っているわけじゃない。

4月2日。やはり金庫が気になる。たいしたものは入ってないというが、本当だろうか。うそをつかれ、だまされているような気もしてならぬ。読書に熱中できない。この気分、なんとかならぬものだろうか。

4月3日。女の家に行って遊ぶ。楽しい一日だった。

4月4日。どんな女とつきあっているのだ。気をつけろ。あとで変なことになると、おれも巻きぞえになる。おれは知らぬと弁解しても、世の中には通用しないのだ。

4月5日。いい女だぞ。やくな、やくな。おれをうらやむひまがあるのなら、なにかして遊んだらどうだ。精神衛生にもいいぞ。

4月6日。あれこれ気になってならない。こんな状態を早く終らせてしまいたい。医者に出かけて、なんとかしてくれとたのむ。

医者が言う。「この種の病気は、あせらずなおすのがよろしい。もう少しお待ちなさい」と。しかし、おれはもうがまんできないのだと言った。医者は「じつは、ひとつの新薬があります。いまの症状をよくする作用があるらしいのですが、説明書に不明な部分がある。ですから、おすすめしにくいのです」とためらった。おれは、そんなことかまわない。その注射をたのむとせがみ、やってもらった。これでいい。いまより症状がよくなればいいのだ。近日中にそうなるだろう。

4月7日。なにやら注射をやったそうだ。遊べるのもあとしばらくということらしい。残念だ。医者へ行って、きのうの注射の解毒剤をくれと言ったら、変な顔をされた。おれの人生も残り少ない。キャバレーへ行く。

4月8日。朝おきてみたら、寝床のなかに女がいっしょにいた。なんという品のない女だ。あれこれ質問したら、うるさいと叫んだ。おれはもっと大声で、出て行けとどなり、追い出した。おれの部屋に、女を連れこむな。

4月9日。おれの女をいじめるな。ここはおれの部屋でもあるのだ。あれこれ、うるさくさしずをするな。

4月10日。注射のききめがあらわれていいはずなのに、まだ変化なし。きかないのだろうか。なおらぬとなったら、どうしてくれよう。殺し屋をやとって、やつを消すか。

4月11日。ぶっそうなことを考えるな。いつかおれが自殺しようと考えた時、ひきとめたくせに、狂ったのか。おれを殺せば、おまえだって終りなのだぞ。

4月12日。医者に電話して聞くと、そろそろ効果があらわれてくるはずだとのこと。

そうあってほしい。もしなおらなかったら、あの犯罪的傾向をおびた、色きちがいの、ろくでなしを、なんとしてでもしまつしなければならない。おれのようなまともな人間にとって、考えるだけでも恥ずかしいことだ。

4月13日。きちがいとはなんだ。おれは殺人のたぐいなど、考えたことさえないのだぞ。頭をひやせ。この、ばか。

4月14日。まあまあ、お二人とも、落ち着いて下さい。争ってはつまりませんよ。おたがい、同じからだの持ち主ではありませんか。ここのところは、おまかせ下さい。仲よくやろうではありませんか。

4月15日。時計のカレンダーを見ると、あいだで二日たっている。きのうはどうしたのだろう。きのうの日記をつけたのは、だれなのだ。

4月16日。おれじゃない。おれもふしぎに思っているのだ。

4月17日。医者へ出かけ、くわしい説明を聞いてきた。これは薬のききめだそうだ。新薬の作用だという。これによって、事態はいくらか改善されるはずだと医者は言った。二つに分裂しているから対立するので、第三者が出現して、その調整をやるようになればいいわけでしょうとのこと。おれの出現した理由と使命は、以上のごとし。お二人とも、今後はおれの意見にしたがってくれ。

4月18日。なんてことだ。
4月19日。なんてことだ。

# 事　実

午後九時ごろの新聞社。社会部には、まだ何人もの記者が残っていた。事件というものは、いつ発生するか予想しがたい。それにそなえて待機しているのだった。

しかし、なにごともない晩がつづくと、いささか退屈になる。だれが言うとなく、こんな話題になる。

「ああ、あ。なにかひとつ、どえらいことでも起ってくれないかな。腕が鳴るし、ここにいる意味もないというものだ」

「まったくだ。他社をみごとに出し抜く、目のさめるようなことでも……」

「読者があっと驚くような通報が、ころがりこんでくるといいんだがな」

それぞれ、虫のいいことをしゃべりあっていた。

「ありますよ」

と声がした。みながそっちを見ると、いつ入ってきたのか、ひとりの男が立っていた。長身、どちらかといえば青ざめた顔、黒っぽい服。なにやら異様な印象を与えるものの持ち主だった。事件のにおいがしないでもない。

「あなたは、どなたです」

記者のひとりが期待にあふれた声で聞くと、男はこともなげに答えた。

「わたしは吸血鬼です」

「なんですって……」

「ご存知じゃないようですね。人の血を吸うことで、永遠の生命をえている。また、わたしに血を吸われた人は、わたしの命ずるままにあやつられて動く。あなたがたは、記事で世論を操作している。ご同業とまではいかないが、似ていますね」

「吸血鬼の定義ぐらい知っているよ。しかし、いったい、なぜ……」

「ふしぎですか。どこが疑問なのです。ははあ、なぜ血を吸うかの点ですな。あなた、それは酒やタバコのようなものですよ。やめられない。まして、わたしの場合、からだがそれを必要としている」

しゃべる男をさえぎって、記者が言う。

「そんなことじゃない。言いたいのは、そんな子供だましの悪ふざけはよせということだ。こっちは、いそがしいんだ」

「そうですかね。さっきは、なにか大事件が起ってほしいなんて話が……」

「そのことも立ち聞きしてたのか」

「吸血鬼の実在はニュースになりませんかねえ。雪男とか、外国の湖の怪獣とか、古墳の発見とか、そんなたぐいには、ずいぶん熱心なごようすですが……」

「まあ、まあ、ちょっとそこで待っててくれ。みなと相談してみる」

男に椅子《いす》をあてがい、記者たちは少しはなれて、小声で話しあった。

「なんだ、あいつは。頭がおかしいのだろうか」

「そう考えるのが妥当だろうが、なんとなく本物らしいムードもある。追っ払ってしまって、あとで本物とわかったらことだぞ。とりかえしがつかない」

「まて、慎重に考えたほうがいい。競争相手の新聞社の陰謀かもしれない。テレビ局から送りこまれた、手のこんだ演出かもしれない。へたに飛びついて、世の物笑いになったらことだ。なにしろ油断できない時代だからな」

「しかし、追い返すのも惜しい。ようするに、問題のわかれ目は、やつが本物かどうかだ。おこらせないよう、当人に聞いてみよう」

それ以外に方法はなかった。かわるがわる質問をこころみることになった。

「ちょっとうかがいますが、吸血鬼っていうものは、ヨーロッパの存在なんでしょう」

「そうですよ。しかし、いまやジェット時代。西まわりの空路を利用すれば、日光に当ることなく、どこへでも行ける。吸血鬼にとって日光が苦手なことは、ご存知でしょう」

「失礼ですが、われわれは、あなたが本物かどうかを知りたいのです。あなたの血液を調べさせてくれませんか」

「とんでもない。わたしにとって、血はなにものにもかえがたい貴重なものです。一滴だって取られたくない。それを拒否する権利があることぐらい、新聞社のかたなら、ご存知でしょう」

なかなか核心にふれることができない。むりやり血を採取し、あとでおどされたらことだ。男への質問がつづく。

「われわれは事実を報道したいのだ。読者もそれを待っている。あなたがうそをついてると疑ってるわけじゃありませんが、なにか証明がほしい。おわかりいただけるでしょう、この点……」

「いい方法があります。どなたでもいい、あなたがたのひとりに、かみつかせて下さい。血を吸わせて下さい。そして、その人の変化を観察なされば、立証できましょう。これにまさるものはない」

記者たちは、おたがいに顔を見あわせるだけで、進み出る者はなかった。男は言う。

「どうなさいました。わたしの話がでたらめなら、こわがることはない。わたしが本物とわかれば、お望みの大ニュースでしょう」

「しかし、血を吸われるのはどうも……」

「しりごみなさるのですか。報道が職務なのではありませんか。それに身をささげようとするかたがいるかと思いましたがね……」

「たしかに、われわれは報道が職務だ。しかし、被害者になるわけにはいかない。そとへ出て、通行人にかみついて下さい。われわれはそれによって、正確にして詳細な報道をします。それがニュースの本来のあり方です」

「そういうものですかねえ……」

男はうす笑いをした。それに対して、記者のひとりは、かっとなって言った。

「なんだと。よし、とがったクイを持ってきて、おまえの心臓に打ちこんでやる。本物の吸血鬼だったら、たちまち白骨になり、こなごなになって消え去るはずだ。その覚悟はあるか」

「ありますよ。もちろん、ありますとも。わたしは長生きしすぎた。生きるのにも、いいかげんあきた。しかし、自殺はできないんです。からだの血がそれを許さない。

また、病気にかかることも、事故にあうこともない。いいですか。覚悟の必要なのは、あなたのほうですよ。この賭《か》けで、かりに万一……」

「なんだというのだ」

「わたしが、もし吸血鬼でなかったら……」

「どうだというのだ」

「新聞記者は、裏の裏まで考えるべきじゃありませんかね。わたしが吸血鬼でなかったら、あなたは殺人。新聞社内での凶行、大不祥事、これこそ大ニュース……」

「うむ……」

記者たちは、答えようがなかった。

「どうやら、ご縁がないようですね。お話にならない。では、わたしはこれで……」

男は帰っていった。しかし、そうなると記者たち、日ごろの習慣がたちまちめざめる。

「さあ、すぐあとをつけろ。それをつきとめれば、やつの正体がわかるぞ。ばけの皮をはぐことができる」

「いうまでもない。さっきから、そのことを考えていた。まかせておいてくれ」

「まて、用心しろ。わなかもしれない。おびき出されて、がぶりとかみつかれてはつまらん。二人で行け。十字架の形のものも持っていったほうがいい。そうだ、そこのハサミがいい。開けば十字架になり、身をまもるちょっとした武器にもなる」

すべては手ぎわよく進行した。男はゆっくりと歩いて行く。あとをつけるのは容易だった。そとは、もはや夜ふけ。曇った空。男は尾行されているのに気がつかないのか、平然としていた。この調子だと、うまく住居をつきとめられるだろう。二人の記者はうなずきあった。

男は小さな公園のなかへ入ってゆく。樹木がしげっている。その下で足をとめる。男の姿はたちまち一匹の大きなコウモリに変り、飛びたち、暗い空へと消えていった。

# かぼちゃの馬車

その女は若かった。しかも美しくといいたいところだが、そうではなかった。ほめるにはかなり頭を使わなければならない外見だった。みにくいと形容したほうが、正確にして簡単だった。

まず、スタイルがよくなかった。足とか、ウエストとか、くびのまわりとか、そんなところに脂肪がつきすぎていた。動作も緩慢になってしまう。

顔つきもよくなかった。はれぼったいまぶたをしていて、目にはどことなくにごりがあった。色は黒っぽかった。日にやけた健康的な黒さでなく、黒ずんだとでもいうべき、つやのない皮膚だった。

鼻の形は丸っぽかった。ユーモラスな印象を与えるようなら、まだ救いがある。しかし、そういうたぐいとはほど遠く、笑ったりすると、さらにバランスがくずれ、ゆがんだものとなる。かえって、あわれをさそう。といって、それは同情をひくようなものでもなかった。

そのことを彼女は自分でも知っていた。だから、あまり笑わなかった。また、笑うような楽しい気分になることもなかった。

その女は、ひとりで暮していた。地方から都会に出てきて、小さな一部屋をかりて住み、ある会社へつとめていた。人手不足の時代、みにくいからといって不採用になることはなかった。しかし、派手ないい職種にはつけなかった。地味な仕事。彼女はそれにはげんだ。ほかにしようがなかった。

ボーイフレンドができるわけもなかった。さそってくれる男もなく、自分からさそう気にもなれなかった。とり残されたような、つまらない、苦痛に近い毎日をすごしていた。

そんなふうなら、郷里へ帰ればいいのに。しかし、その決心もつかないのだった。都会には、魔力のようなものがある。いまになにか、夢のようなことがおこるのではないか。理由も根拠もないのだが、そんな期待をいだかせるものが、都会にはある。

彼女は一日一日を、ただ灰色にぬりつぶし、過去へと送りこみつづけるのだった。生活の唯一《ゆいいつ》の同伴者は、惰性といえた。

話し合う相手もほとんどない。買物の時の会話ぐらいだった。部屋には電話がなかった。あったとしても、かける相手はなく、どこからもかかってこないだろう。自分の部屋に帰った彼女は、テレビをながめ、そのなかのむなしい架空の世界に、しばし自分を忘れる。そんな毎日だった。郷里からのほか、手紙もめったにこない。時たま郵便物がとどくが、なにかの広告宣伝のたぐいのものだった。印刷した、はなやかだが味気ないもの。それでも、あて名が自分になっているのを見ると、それだけでうれしく、新製品の性能や値段まで、何回も読みかえす。都会という人ごみのなかに住んでいながら、その女は孤独だった。

ある日、その女に郵便物がとどいた。やはり、ダイレクトメール。なにかの宣伝とすぐにわかる。しかし彼女は、ていねいに封を切り、ゆっくりと読んだ。読みかえす。ありふれた内容でなかったからだ。

〈あなたはお美しいかたでしょうが、ある期間だけ、もっと美しくなってみたいとお思いになりませんか。お気軽にお出かけ下さい。ご満足いただけなかった場合は、代金をおかえしいたします……〉

女はそれを、くりかえし読んだ。鏡をのぞいてみる。自分でも好きになれない顔が、そこにあった。なんてばかげた広告の文章。彼女は手紙を破り捨てようとしたが、指に力が入らなかった。

無意識のうちに、頭のなかでいまの文章をくりかえしている自分に気がつく。もし

K
J

かしたら、本当なのかもしれない。あたしみたいなものでも、うまくゆくのかも……。だめだとしても、もともとなんだわ。その結論に達するまで、けっこう日数がかかった。悪ふざけの一種なのかもしれない。そうだったら、いっそうみじめな気分になる。それへの不安があった。あるいは、詐欺《さぎ》の新手じゃないかしら。あたしなんか、どうせこれ以上、きれいになれるわけがない。そんなためらいをくりかえしたあげく、やっと心がきまった。

会社の帰りに、そこへ寄ってみることにした。街なかの高層ビル。その上のほうの階に、問題の〈美的変化サービス〉なるものが存在しているはずだった。封筒にはそうしるされてあった。

新しいビル。一階の広いホールを横切り、エレベーターに乗る。われながら、あわれな気分だった。自分の欠点を思い知らされ、それを直視し、その上で、いまこの訪問をしようとしている。だまっていれば発覚しないのに、わざわざ警察へ自首しに行く者と、どこか共通してはいないだろうか。

ある階でおり、静かな廊下を歩き、その室の前に立つ。ドアには〈美的変化サービス〉と、ととのった字体で書かれてあった。ちゃんとした存在という印象を受けた。いいかげんなことをやり、金を集めて夜逃げをする。そういうたぐいのけはいを示していなかった。女はいくらか安心した。

だから、ドアをあけて入る気になった。もう、ここまで来てしまったのだ。ひきかえし、行くか行くまいかと、くよくよ、とめどなく悩むよりはいい。

なかへ入る。すぐそこに受付があった。中年の男がその係だった。ぱっとしない人物。女性でないのは、来る者へ対する配慮のためかもしれなかった。彼女は、持ってきたダイレクトメールを示して言った。恥ずかしく、おどおどした口調なのは仕方なかった。

「あの、このことで……」

「いらっしゃいませ。どうぞこちらへ……」

事務的な応答とともに、女は小さな待合室に案内された。椅子《いす》がひとつ。やわらかいムード音楽が、かすかに流れていた。このような待合室が、ほかにもいくつかあるらしかった。つまり、ここへの来客たちが、おたがいに顔を合わせて気まずい気分になるのを、防止するためではなかろうか。

住所や姓名は聞かれなかった。ダイレクトメールを渡すことで、それはすんでしまった形だった。

三十分ぐらい、女はそこで待たされた。やがて、さっきの受付の男が来て言う。

「お待たせしました。どうぞ、先生のところへ。ご心配なさることはありませんよ。きっとうまくゆきます……」

先生なるもののいる室へと通された。窓があり、高いだけあって見晴らしのいい、明るい室だった。机があり、そのむこうに先生が椅子にかけていた。学者タイプの、五十歳ぐらいの男。

それほどの美男子ではなかった。しかし、そのことでの不信を彼女は感じなかった。知的な品のある人だったからだ。やさしい口調で、そばの椅子を指さして言う。

「さあ、そこへおかけ下さい……」

「よろしくお願いしますわ」

女は腰をおろしながら、あたりを見まわし、期待はずれのような表情を示した。先生はうなずいて言う。

「整形手術、美容室、そういったものを想像なさっておいでだったのではありませんか。みなさん、たいていそう思ってここへおいでになるようです」

薬品と医療器具を入れた小さな棚《たな》がひとつあるだけで、あとは会社の役員室と大差なかった。書類整理用のキャビネット、豪華な本棚などが置かれている。

「ちがいますの……」

「まったくちがう方法です。わたしは医者です。ある民間の総合病院につとめながら、ひまをみて、研究をつづけました。そして、この特殊な方法を開発したのです。そこで独立し、ここで開業を……」

「美しくなる方法なんて、あるんですの。信じられない気分ですわ」

「そこが科学の発達、医学の進歩の成果ですよ。手術だの、金のかかる継続的な美容だの、そんなのとはぜんぜんちがうものです。きわめて簡単。その決心さえつけば、きょうからでもあなたは美しく……」

「あたしみたいなものでも……」

「だれでもです」

「まだ信じられませんわ。まるで魔法みたいな……」

「うまいことをおっしゃる。まさにそうです。シンデレラ姫の物語に出てくる魔法使い。つえをひと振りすると、かぼちゃが美しい馬車に変る。それに似ておりますな。そのすばらしさと同様に、残念ながら、その欠点もある。ある時間がたつと、かぼちゃの馬車はもとに戻ってしまう。永久にという効力がないのです」

「それは仕方ないわ。たとえ一週間でもいいから、美しくなりたいの。人生に一回ぐらい、それが許されたっていいでしょう。どうせ人間は、としをとるのだし。わずかなあいだでも、美しさを味わえれば満足ですわ」

と女は本心をもらした。医者は、またもうなずく。

「そうご了解いただけると、こちらもやりやすい。一週間なんて短い期間ではありませんから、ゆっくりと心ゆくまで美しさをお楽しみ下さい。わたしとしても、喜んでいただければ、仕事のしがいがあるというものですよ」

「まだ夢のようなお話としか思えませんわ。そんなことが現実におこりうるなんて。だけど、痛いの……」

「痛ければおやめになりますか」

「そんなこと、ありませんわ。さあ、代金はお払いいたします。できるのなら、いますぐやってちょうだい……」

女は支払いをすませた。医者は注射の用意をした。

「そう痛いことはありません。首すじに注射をするだけです。長く細い針で注入します。微妙な技術を要する療法なので、頭を固定しますよ。動かないようにね。決してがまんできないような痛さではありません」

医者はベルトを出し、女の頭を椅子の上のほうに固定した。それから、注射をやり、五分ほどで終了した。女は言う。

「これで終りなのですか」

「そうですよ」

と医者はベルトをはずす。女は頭を左右に動かしながら言った。

「あまりにお手軽すぎるような気も……」

「問題は効果のほうですよ。ちょっとお考えになってみて下さい。あなたはいま、自分のみにくさに耐えられないような気分をお持ちでしょうか」

女はしばらく首をかしげてから言う。

「そういえば、そんな気はしないわ」

「もし、ご不満がおありでしたら、あしたにでもおいで下さい。いまの代金はおかえしいたします」

「ひと晩、よく考えてみますわ」

女はそこを出る。軽やかな足どりだった。下へのエレベーターに乗る。ほかにはだれも乗っていなかった。しかし、エレベーターはつぎの階でとまり、若い男がひとり乗ってきた。身だしなみのいい、ととのった顔の、きりっとした男性だった。

「ぼくは一階までです。ボタンは押してございますか」

「ええ……」

うなずいた彼女に、青年はちらちらと視線をむけた。なにか話しかけたいが、それは失礼だ。そんなことを、心のなかで持てあましているといった感じだった。

しかし、話しかけるきっかけはなく、途中でとまることなく、エレベーターは一階についた。ドアが開いてそとへ出る時、青年はやっと決心したような表情で、ある言葉を口にした。

「あなたは、おきれいなかただ。つい見とれてしまって失礼しました」

「え……」

「このままお別れしたくないが、いくらなんでも、それはあつかましい。こんど、どこかでまたお会いした時に……」

そうささやき、未練を残したような歩き方で、むこうへ去っていった。女はぼんやりとして、しばらくそこに立ったままだった。なんだか変だわ。思考が停止していた。しかし、やがて、ささやかれた言葉の内容に気がつく。

「まあ……」

軽い叫び声をあげる。電流にさわった時のように、からだのなかに衝撃がひろがっていった。こころよい衝撃。そうなんだわ。あたしは美しいんだわ。美しいんだわ。あたりを見まわしたが、もはや青年の姿はなかった。しかし、彼女はそう残念とも思わなかった。あたしは美しいの。男はなにも、いまの人だけじゃないんだから……。

その青年は〈美的変化サービス〉の医師と契約している者だった。早くいえば芝居。治療後の患者の帰りをつぎの階で待ち、エレベーターのなかで、いまの言葉をささやく。これが仕事だった。それによって、治療の仕上げがおこなわれる。

さっきの注射は、脳細胞のある部分に作用する薬品。これまでの人生観をうすれさせる効果がある。一時的に、空白ともいえる不安定な状態になる。しかし、その場で医師が言ったのでは、わざとらしく、あまりききめがない。ふさわしい青年が不自然でない形であらわれ、ささやきかけるほうがいいのだ。

その言葉が、一種の引金となるのだった。雑草をすっかり刈り取った土地に、きれいな草花が植えられたごとく、まったく新しい人生観がひろがる。自己暗示が完成し、しっかりと定着するのだった。

しかし、現実に美しくなったわけではない。スタイルは依然としてよくない。はれぼったいまぶた、にごった目、丸い鼻、黒ずんだはだの顔であることに変りはない。

鏡のなかに、その顔がうつっている。しかし、その事実よりも、彼女の内部に芽ばえ育った、自信のほうが強く大きかった。あたしは美しいんだわ。あたしは美しいわ。

美しいのよ……。

鏡をながめて、うっとりする。勝負事の好きな人が、過去の損ばかりの成績をすべて忘れ、自分は運がいいのだ、きっと勝つのだと、期待に胸をおどらせて、またも手を出す。形容すれば、それに似ているといえるだろう。女は自分を美しいと思いこみ、自分を美しいとみとめたのだ。

その女は、たしかに変ったのだ。美しい自分に。芽ばえ育ったその自信は、さらに葉をふやし、多くの花をつける。生きているのが楽しくなった。会社へ出かけるのも。

通勤の乗り物のなか。ラッシュのため、押してくる男がある。これまでとちがって、彼女は敏感になっていた。あたしが美しいから、混雑にことよせて、からだを寄せてくるんだわ。いやらしいわね。だけど、批難してはかわいそう。あたしがきれいなため、そうなってしまう。しかたがないんだわ。

道を歩いている時、男とすれちがう。彼女は男がどう反応するか、観察するのだった。いままでは、そんな心のゆとりさえなかった。しかし、いまはちがう。男が目をそむけるようにしてすれちがうのを見る。

いまの男、まぶしそうに顔をそむけるようにして歩いていったわ。むりもないわね。あたしが美しいんだから。うぶで、かわいらしい男ね。

すれちがうのが、同性の時もある。あざけるような視線をむけてくる。しかし、それも平気だった。いや、楽しくさえあった。いまの女、あたしの美しさに嫉妬《しっと》してたわ。女ってものは、男性のようにすなおな表現ができないのよ。うらやましさが、逆の形をとる。むりに、いじ悪く、そっけない顔つきを作ってしまう。ほんとに気の毒ね、美しくない女性って……。

うっとりと彼女は歩くのだった。警官に注意されることがある。

「もしもし、横断の時には、ちゃんと信号を守って下さい」

「あらあら、うっかりしてたわ。ごめんなさいね」

女は優雅にあやまる。いまの警官、あたしに声をかけたくて、あんなつまらないことをわざわざ注意したんだわ。まじめな警官。ほかに話しかける方法を知らないのね。彼女はひとり、くすくす笑うのだった。

何日かたち〈美的変化サービス〉から手紙がとどいた。

〈先日はご利用いただき、ありがとうございました。その後の経過はいかがでしょう。なにかご不満の点がございましたら、一週間以内においで下さい。代金はおかえしいたします〉

女は返事を書いた。申し出れば金を回収できそうだったが、そんな心境ではなかった。

〈不満なんて、なんにもないわ。もっとお礼をさしあげてもいいくらい……〉

女は自分を美しいと思いこんでいるのだった。ずっと前から、あたしは美しいんだわ。うまれつき美しかったの。あの先生が、それを気づかせてくれたんだわ。だから、感謝してるの。でも、同じことなら、もっと早くそれに気づいていたら……。

会社へまちがい電話がかかってくる。

「番号ちがいですわ……」

ていねいにそう答えながらも、女は幸福だった。いまの電話の人、きっと、まちがえたふりをして、わざとかけてきたんだわ。あたしの声を聞くために。

「おはよう」

あいさつの声をかけてくる男もいる。それも彼女には、重大なことに思えるのだった。本当は、もっとたくさん話しかけてきたいのよ。だけど、あたしのそばへ来ると気おくれがして、それ以上なにも言えなくなってしまうの。

うしろを歩いてくる男がいると、彼女はこう思う。あの人、あたしをつけてくるわ。話しかける勇気があるかしら。あたしがもっと平凡な女だったら、気軽に声をかけてくれるんでしょうね。だけど、そうじゃない。ね、残念そうにあきらめて、むこうへ行っちゃったわ……。

女は自信にあふれていた。美しい女にふさわしい歩き方をした。背すじをのばし、上品な軽やかな動作をした。しぜんにそんな動作になるのだった。誇りにみちた視線で他人を見た。むりなく身についたしぐさだった。

ばら色の宇宙のなかにいるのだった。そのなかで、さわやかに、いきいきと、女は毎日をすごしていた。時間の流れも、やわらかく、こころよかった。軽快であり、順調であり、はりのある人生だった。なにもかも、しあわせだった。

ふしぎな変化が、その女におこった。内面のそれらが、外面にまでにじみ出てきたとしかいいようがなかった。

彼女は現実に美しくなっていった。ほっそりとし、均整のとれた姿になっていった。ただやせたのではなく、そうあったほうがいい部分には、ふっくらとしたものが残っていた。自信にみちた歩き方が、そのような変化を彼女にもたらしたのかもしれなかった。

顔もまた同様だった。まつ毛が長くなり、目もとがすずしげになり、ひとみはきらきらと輝きをおびていた。口もとは引きしまり、鼻の形もととのってきた。はだの色は白く、しっとりとしてきた。笑うと魅力がとび散り、悲しむと憂愁のかげが静かにあらわれる。神経に刺激され、内分泌の器官になにかがおこり、そうなったためかもしれなかった。

当人の心のなかだけでなく、いまや、だれが見ても彼女は美しかった。

しかし、期限というものが、とどめようもなく訪れてきた。ある日、彼女はふとつぶやく。

「もしかしたら、あたしは、自分で思っているほど美しくないんじゃないかしら……」

注射された薬品の作用は、永久的でなかった。医者も、その点はことわっていた。高度に能力を発揮しつづけていた美意識の脳細胞も、おとろえを示しはじめてきた。薬による無理な高揚だったため、ふたたび注射をしても、それは復活しない。

あたしは思っているほど、美しくないんじゃないかしら。美しくないようね。美しくないらしいわ。美しくないにちがいないわ。ちっとも美しくなんかないのよ。

「このごろ、いやにきれいになったね」

などと、会社で上役から声をかけられる。しかし、女はさほどうれしくなかった。

「そんなことありませんわ」

「本当だよ。職場変更の人事異動の件がきまった。きみは会社の受付の担当となる。社への来客に対して、第一印象を与える大事な仕事だ。外見のおかしな女性にはまかせられないのだ」

「自信がありませんわ」

「大丈夫だよ。ほかに適任者がないのだ。しっかりやってもらいたい」

命令であり、女はその仕事へ移った。そして、考えるのだった。なぜ、あたしはこんな仕事へまわされたのだろう。美しいところなんか、まったくないのに。どういうわけかしら……。

わかったわ。うまくしくまれた計画よ、きっと。来客への第一印象だなんてていさいのいいことを言ってたけど、本当のねらいはちがうのよ。美しくない女を、受付においておく。そうすることによって、ほかの女の社員たちが引きたつんだわ。

受付だけで帰る訪問者なんて、あるわけがないじゃないの。ここを通って、社内の各部門に行くわけでしょ。だから、ここにみにくい女をおいておけば、ほかのどの女と会っても、みんな美人に見える。仕事の話もうまく進展する。企業って冷酷なんだから、利益のためには、どんな手段でもとる。ひとりの女の心をふみにじるぐらい、平然とやってのけるのよ。

沈んだ、おどおどした、暗く自信のない毎日になってきた。鏡をのぞく。彼女はみにくい自分を、そこに見るのだった。現実には決してみにくくない顔なのに。

社への来客のなかには、彼女にさそいをかけてくる男もあった。

「仕事が終ったあと、どこかでゆっくりお話でもしませんか」

「だめなの。あたし、だめなのよ」

「なぜだめなの」

「わけなんかないわ。気が進まないの。ほっといてちょうだい」

つめたい答えに、男はあきらめる。彼女は心のなかでつぶやくのだった。ひどい人だわ。あたしをからかったのよ。美しくない女は、口先でおせじのひとつも言えば、すぐなびいてくる。なにかの雑誌に、そんなことがでてたわ。その手を使ったのよ。ばかにしてるわ、ほんとに。

真剣に恋をしてくる男もあらわれた。まじめな口調で彼女に話す。

「あなたが好きなのです。あなたの美しさで、ぼくの心は乱されています。よく説明させて下さい」

「あたし、冗談はきらいなの」

「冗談なんかじゃありません。本当にあなたを愛しているのです」

「つまらないことを、それ以上おっしゃらないでちょうだい」

あたしをからかっているのにきまっている。だけど、まじめそうなところもあったわ。どういう心理なのかしら。本気だったとすると、あたしをあわれんだ上での言葉だわ。きっと、そうよ。美しくない点への同情。それとも、美しくない女は、性質がよく、あつかいやすいと思ってかしら。

美しくないことはがまんできるけど、同情されるのはいや。あわれみって、一種の侮辱じゃないの。ひどい人だわ。彼女は美しい顔を悲しげに曇らすのだった。

「きみは変った女だな」

そう声をかけてくる男もある。美人なのに、なぜかおどおどしている。どういうことなんだい。自信過剰の女が多すぎる時代なのに。そんな意味をこめての言葉なのだ。女はそれを、文字どおりに受け取る。やっぱりそうなんだわ。あたしは変な女なの。変な顔をした、なんの価値もない女なのよ。

「元気をお出しなさいよ。このごろ、なんだか沈んでるみたいよ」

そう声をかけてくる女もある。それに対して、彼女はこう思う。そんなこと言われたって、元気の出しようがないじゃないの。美しくないんだから、元気だけでも出して働けっていうわけね。ひどい話だわ。

きれいな女には、あたしの悲しみなんか、これっぽっちもわからないんだわ。それどころか、無神経に残酷に、いじわるな言葉を投げかけてくる。

だれもかれも、みんなであたしをからかい、笑いものにし、いじめてるんだわ。ただ、美しくないということだけのために。あたしは不幸なんだわ。こんな不幸な女って、ほかにいないんじゃないかしら。

彼女はひとり、自分の部屋で鏡をのぞく。美しい顔がそこにある。それをみとめることができないのだった。悲しみがこみあげてくる。きよらかなひとみから涙があふれてきた。それはなかなかとまらなかった。夜ずっと。

つぎの日の朝、彼女の目は少しにごり、まぶたはいくらか、はれぼったかった。

# 墓　標

この装置の紹介を、あしたテレビですることになっている。ひとりでリハーサルをしておこう。

えへん。みなさん、これ、なんだとお思いです。ボタンひとつ押せば、自動的に人間の埋葬をしてくれる装置なのですよ。

将来はもっと人手不足になりましょう。また、あってはならないことですが、もし戦争や大災害が起れば、どうしても必要となるわけでしょう。まあ、そんなことより、実演してごらんに入れましょう。ここにマネキン人形が横たえてあります。これを死体ということにしましょう。押すボタンはこれ。

おごそかな音楽と、死者への別れの言葉が流れてきましたね。テープに録音してあるものです。と同時に、ほら、装置が穴を掘りはじめたでしょう。簡単に掘りかえされぬよう、かなり深くなければいけません。その底に埋葬し、ふたたび土をかけ、用意した墓標の一本を上に立ててくれるわけです。

あ、音楽がやみました。穴を掘り終ったのです。つぎに装置の腕の部分が動き、人形をしっかりとつかみ、穴のなかへ……。

おや、動かないぞ。配線が切れてるのかな。本番で故障したら大恥だ。どこが故障なのだろう。けっとばしてみるか。えい、あ、動きはじめた。

大変だ。おれのからだをつかまえやがった。強い力だ。た、助けてくれ。製作費を安くあげようとしたのがいけなかった。こんな場合のため、非常ボタンを作っておけば……。

# 解説

かんべむさし

星さんという人から僕がまず思いうかべるのは「ジェントルマン」という言葉であり、「企業でいうなら技術系の重役」というイメージである。

ためしにジェントルマンを辞書でひいてみると、紳士・家柄のよい人・上品な人というおなじみの意味とともに、法律用語として「独立の収入のある無職者」といういかにも大英帝国風の概念も載っており、現実の星さんは勿論《もちろん》有職者だが、この規定にもみごとにあてはまりそうに感じられる。

なぜなら、独立自尊で世俗を超越、厳格な自己規制と巾広い教養および良識を背景に、常にユーモア精神をもって世界を見る……といったニュアンスが、この概念には含まれているからである。

ちなみに、辞書にはジェントルマン・オブ・フォーチュンで「海賊」「冒険家」、ジ・オールド・ジェントルマンで戯語として「悪魔」という意味も記されており、

「ははあ、ジェントルマンがひねったショート・ショートを書くと、そこには、ひね・・・られたジェントルマンが出てくるのか」

英単語の意味拡大のおもしろさとともに、星さんの作品世界の紹介を英和辞典で見つけた気にもなって、僕は思わずニヤニヤとしたものである。

また、技術系の重役というのは、昔、上品で温和な工学博士の取締役という人物に出合った経験からつくられた像であり、その博士も、世俗を離れて研究所にこもり、新技術を開発しつづけている、名家出身の長身の人だった。

「どうやらこの日本にも、うまれつきそういう階層に属するという人が、やはり存在しているらしいな」

ＳＦを書きだして星さんと出合い、強くそう実感したことが、このイメージをつくりあげるもととなったのだ。だからいまその博士を思い出そうとすると、白衣を着た星さんの姿がうかんできてしまう。作品世界の人物でいうならば、敷地内に研究所をもつエフ博士……といった雰囲気《ふんいき》である。そして僕は、そのイメージの星さんが大好きなのである。

さて、そのジェントルマンのつくりだしてきたショート・ショートであるが、ちょうどこの文庫本が発行される頃、遂に千篇《ぺん》を突破するという。これがどれほど大変な記録であるか、もし読者のなかに次のように軽く考える人がいたなら、即刻その不明を恥じていただきたい。

「千篇？　二十六年間で？　じゃあ、コツコツとやってりゃ、自然とそれくらいはたまるんじゃないの……」

まったくもう、何を言うか……である。

二十六年間とひとくちにいうが、これはたとえば昭和元年から、満州事変日華事変をへて太平洋戦争に突入し、負けて占領され、ようやく講和条約を結ばせてもらえることになった、その年までの時間なのである。あるいは、いまからならば２００９年までという、はるけき道のりでもあるのである。

その間ずっと、一定以上のレベルをたもちつつ、コンスタントに作品を発表しつづける。

これは、そう簡単にできる技ではないのである。自分のことだからはっきり言うが、僕にはとてもできない。不可能であると、あきらかにわかる。なぜなら、右の数字を言いかえるならば、それは月に平均三本ないし四本というノルマを、二十六年間果しつづけるということになるからである。

「あかん。それ、俺絶対に五年も持たんヮ。まあ、三年がエエとこや……」

後輩同業者として実感をこめて白旗をかかげられるのは、それが世間の想像する以上に体力を使わされ気力を奪いとられ、ヘトヘトの半病人とされてしまうほど過酷な作業であるからなのである。

勿論《もちろん》、何でもかんでも手あたり次第に材料にし、ホイホイと書きとばせば、五年十年はつづくかもしれない。しかし、自戒の念とともにこれも断言するが、それをやっていると評価は下がり注文は減り、十年たたぬ前に作家世界から「おひきとり」を願わされてしまう。

星さんは絶対にそういうことをせず、自《みずか》ら定めた規範を厳格に守り、下書きと清書をくり返し、月産枚数にまで上限をもうけて、良質の作品のみを発表しつづけてきた。だからこの千篇という数字には、ちょっと自己規制をゆるめれば二千篇になり、要領第一で仕事をすれば三千篇になっていたかもしれない、しかし厳として千篇なのであるという、そういう重みがあるのである。

いつか僕は、自分がすぐに焦《あせ》ったり周囲のペースを気にしたりする人間であるため、信じられない思いでおうかがいしたことがある。

「星さん、本当にデビュー当時からずっと、月七十枚見当をつづけてこられたのですか」

答は軽く、ただひとことだった。

「うん、そうだよ」

脱帽最敬礼という気になった僕は、だから、自分がどう逆立ちしても千篇は書けないという事実に悔しさを感じることもなく、感じることなどおこがましいとも思い、「素直に尊敬する」気持を一層強めたのである。

また、その千篇のショート・ショートが、すべて「ブランデーをつくる」ようにつくられてきたことにも、僕は素直に感服させられる。

世相風俗から哲学科学歴史まで、この世にさまざまな事象があり、これらをたとえばぶどうの実《み》ひと粒ひと粒だと考えてみる。すると、これらの実はそのままでも勿論食べられるが、そのエッセンスのみを取り出して味わってみようという考えも当然発生し、ここに果実を発酵させてのぶどう酒がうまれる。現実の事象を取捨選択、総合抽象した世界という意味で、小説とはこのぶどう酒のような物だと言えるわけである。

ところが星さんのショート・ショートは、そこからもう一段階進み、発酵後さらに蒸溜《じょうりゅう》熟成させたブランデーとして世に送り出される。すなわち、普通の小説のさらなる一般化であり寓話《ぐうわ》化であり、ぶどうの残滓《ざんし》はみごとに濾《こ》しとられているのである。

地名人名品物の値段など表現面でもそうであるし、作品以前の、星さんが日々自分のなかにとりいれている知識についてもその通り。

無政府主義の歴史、ビートたけしの凄《すご》さ、コレステロールって何だ。これらについてのエッセイはあるが、その説明をナマでしなければ通じないショート・ショートは生産されないのである。出すときには常にエッセンスで……なのである。

『あなたの心の中にあるクリエティブ部門は、そのうえに巨大な原料タンクを持っています。そのタンクの中にありとあらゆる魅力的なものを投げ込みなさい。つまらない情報やおかしな話、くだらないジョーク、立派な科学の書物、坊やがときおりもらす気のきいたいいまわし等……。このタンクは、ビールでいえば麦芽ダルにあたります。その中で貯《たくわ》えられ、発酵を待つのです…』(J・E・マシューズ著、川勝久訳「コピーライター」より)

星さんは右の工程に加えて、実に手間のかかる醸造作業をつづけているのである。ブランデー一本つくるのにどれほどのぶどう酒がいるか。ぶどう酒一本つくるのにどれくらいのぶどうの実が必要か。そのアナロジーで考えれば、星さんのショート・ショート一本には、普通の小説数本分、おもしろエピソード集のたぐい数冊分のエッセンスが含まれているとも言えるのだ。そして、それが千篇なのである。ふわりと仕上げられた作品の、背後にある重みがおわかりいただけただろうか……

ところで、最後になったが、星さんのショート・ショート集は、後輩同業者たる僕にとって、また、自分も何か書いてみたいなと考えている読者にとって、恰好《かっこう》のお手本であることにも触れておかなければならない。

たとえばこの「かぼちゃの馬車」。

任意にとりあげてみても、「なるほど」はまさしくなるほどであって、タイトルのつけ方に感嘆させられる。「大洪水」は、多分こうなるだろうと思いつつ読んでも、その辺は見透かされていてドンデン返しをくわされるという、オチのつけ方の見本版であり、「墓標」の冒頭に出てくるえへんという咳《せき》ばらいは、これだけでその人物の気分から表情までがわかる、ユーモラスかつ適確な表現術のサンプルである。

そして表題作では、女がブスであるということを言うためにあれほど形容を重ねる残酷さと、「といって、それは同情をひくようなものでもなかった」という駄目押しで、遂に読者を笑わせてしまう心理操作法にうならされる。しかも、その列挙が単なる列挙ではなく、そこから始まる延々たるお話の重要なる前提なのであって、読後「そうか、なるほどなあ」と思わされるのは、つまりはこの冒頭部分があるためだと構成法から表現術まで。何しろ、ほぐせばほぐすだけ、「ショート・ショートの書き方」その実例集ともなってくる本なのである。

というわけで——

この一冊、どうぞひとつひとつ、ゆっくりと味わってお読みくださいますように。ブランデーは、がぶ飲みするものではありませんので……

（昭和五十八年八月、作家）

この作品は昭和四十八年十月新潮社より刊行された。

星新一著

ボッコちゃん

ユニークな発想、スマートなユーモア、シャープな諷刺にあふれる小宇宙！　日本ＳＦのパイオニアの自選ショート・ショート50編。

星新一著

ようこそ地球さん

人類の未来に待ちぶせる悲喜劇を、卓抜な着想で描いたショート・ショート42編。現代メカニズムの清涼剤ともいうべき大人の寓話。

星新一著

気まぐれ指数

ビックリ箱作りのアイディアマン、黒田一郎の企てた奇想天外な完全犯罪とは？　傑出したギャグと警句をもりこんだ長編コメディー。

星新一著

ほら男爵現代の冒険

〝ほら男爵〟の異名を祖先にもつミュンヒハウゼン男爵の冒険。懐かしい童話の世界に、現代人の夢と願望を託した楽しい現代の寓話。

星新一著

ボンボンと悪夢

ふしぎな魔力をもった椅子……。平和な地球に出現した黄金色の物体……。宇宙に、未来に、現代に描かれるショート・ショート36編。

星新一著

悪魔のいる天国

ふとした気まぐれで人間を残酷な運命に突きおとす〝悪魔〟の存在を、卓抜なアイディアと透明な文体で描き出すショート・ショート集。

星新一著 おのぞみの結末

超現代にあっても、退屈な日々にあきたりず、次々と新しい冒険を求める人間……。その滑稽で愛すべき姿をスマートに描き出す11編。

星新一著 マイ国家

マイホームを〝マイ国家〟として独立宣言。狂気か？　犯罪か？　一見平和な現代社会にひそむ恐怖を、超現実的な視線でとらえた31編。

星新一著 妖精配給会社

ほかの星から流れ着いた〈妖精〉は従順で謙虚、ペットとしてたちまち普及した。しかし、今や……サスペンスあふれる表題作など35編。

星新一著 宇宙のあいさつ

植民地獲得に地球からやって来た宇宙船が占領した惑星は気候温暖、食糧豊富、保養地として申し分なかったが……。表題作等35編。

星新一著 午後の恐竜

現代社会に突然巨大な恐竜の群れが出現した。蜃気楼か？　集団幻覚か？　それとも立体テレビの放映か？――表題作など11編を収録。

星新一著 白い服の男

横領、強盗、殺人、こんな犯罪は一般の警察に任せておけ。わが特殊警察の任務はただ、世界の平和を守ること。しかしそのためには？

星新一著 **妄想銀行**

人間の妄想を取り扱うエフ博士の妄想銀行は大繁盛！ しかし博士は、彼を思う女からとった妄想を、自分の愛する女性にと……32編。

星新一著 **ブランコのむこうで**

ある日学校の帰り道、もうひとりのぼくに会った。鏡のむこうから出てきたようなぼくとそっくりの顔！ 少年の愉快で不思議な冒険。

星新一著 **人民は弱し 官吏は強し**

明治末、合理精神を学んでアメリカから帰った星一（はじめ）は製薬会社を興した——官僚組織と闘い敗れた父の姿を愛情こめて描く。

星新一著 **明治・父・アメリカ**

夢を抱き野心に燃えて、単身アメリカに渡り、貪欲に異国の新しい文明を吸収して星製薬を創業——父一の、若き日の記録。感動の評伝。

星新一著 **おせっかいな神々**

神さまはおせっかい！ 金もうけの夢を叶えてくれた〝笑い顔の神〟の正体は？ スマートなユーモアあふれるショート・ショート集。

星新一著 **にぎやかな部屋**

詐欺師、強盗、人間にとりついた霊魂たち——人間界と別次元が交錯する軽妙なコメディー。現代の人間の本質をあぶりだす異色作。

## 新潮文庫の新刊

村上春樹著
**街とその不確かな壁**（上・下）
村上春樹の秘密の場所へ――〈古い夢〉が図書館でひもとかれ、封印された〝物語〟が動き出す。魂を静かに揺さぶる村上文学の迷宮。

東山彰良著
**怪物**
毛沢東治世下の中国に墜ちた台湾空軍スパイ。彼は飢餓の大陸で〝怪物〟と邂逅する。直木賞受賞作『流』はこの長編に結実した！

早見俊著
**田沼と蔦重**
田沼意次、蔦屋重三郎、平賀源内。大河ドラマで話題の、型破りで「べらぼう」な男たちの姿を生き生きと描く書下ろし長編歴史小説。

沢木耕太郎著
**天路の旅人**（上・下）
読売文学賞受賞
第二次世界大戦末期、中国奥地に潜入した日本人がいた。未知なる世界を求めて歩んだ激動の八年を辿る、旅文学の新たな金字塔。

石井光太著
**ヤクザの子**
暴力団の家族として生まれ育った子どもたちは、社会の中でどう生きているのか。ヤクザの子どもたちが証言する、辛く哀しい半生。

H・P・ラヴクラフト
南條竹則編訳
**チャールズ・デクスター・ウォード事件**
チャールズ青年は奇怪な変化を遂げた――。魔術小説にしてミステリの表題作をはじめ、クトゥルー神話に留まらぬ傑作六編を収録。

# 新潮文庫の新刊

W・ショー
玉木亨訳
## 罪の水際《みぎわ》
夫婦惨殺事件の現場に残された血のメッセージ。失踪した男の事件と関わりがあるのか……？　現代英国ミステリーの到達点！

C・S・ルイス
小澤身和子訳
ナルニア国物語5
## 馬と少年
しゃべる馬とともにカロールメン国から逃げ出したシャスタとアラヴィス。危機に瀕するナルニアの未来は彼らの勇気に託される──。

紺野天龍著
## 幽世《かくりよ》の薬剤師
あやかしの仇討ち
青年剣士の「仇」は誰か？　そして、祓い屋・釈迦堂悟が得た「悟り」は本物か？　現役薬剤師が描く異世界×医療×ファンタジー。

万城目学著
## あの子とQ
高校生の嵐野弓子の前に突然現れた謎の物体Q。吸血鬼だが人間同様に暮らす弓子の日常は変化し……。とびきりキュートな青春小説。

桜木紫乃著
## 孤蝶の城
カーニバル真子として活躍する秀男は、手術を受け、念願だった「女の体」を手に入れた！　読む人の運命を変える、圧倒的な物語。

國分功一郎著
## 中動態の世界
―意志と責任の考古学―
紀伊國屋じんぶん大賞・小林秀雄賞受賞
能動でも受動でもない歴史から姿を消した〝中動態〟に注目し、人間の不自由さを見つめ、本当の自由を求める新たな時代の哲学書。

# かぼちゃの馬車《ばしゃ》

新潮文庫　ほ－4－28

昭和五十八年十月二十五日 発行
平成二十四年七月十五日 四十一刷改版
令和七年四月二十五日 四十五刷

著者 星《ほし》 新《しん》 一《いち》
発行者 佐藤隆信
発行所 株式会社 新潮社

郵便番号 一六二―八七一一
東京都新宿区矢来町七一
電話 編集部(〇三)三二六六―五四四〇
読者係(〇三)三二六六―五一一一
https://www.shinchosha.co.jp

価格はカバーに表示してあります。

乱丁・落丁本は、ご面倒ですが小社読者係宛ご送付ください。送料小社負担にてお取替えいたします。

印刷・株式会社光邦　製本・株式会社大進堂

ISBN978-4-10-109828-9 C0193